GU00858791

Your

German

Speaking Test Guide

or GCSE

econd edition

l Levick

lenise Radford

lasdair McKeane

Contents

SECTION 1: ROLE PLAY

SECTION 2: GENERAL CONVERSATION

Contents

oduction

is a book which aims to help you with your GCSE German Speaking Test. The test will be ucted by your own teacher and will be tape-recorded. You will have to complete a number of plays and a conversation test. Some candidates are also required to present a pre-prepared topic hen discuss it. Check the exact details of your syllabus with your teacher. Knowing what to ct is half the battle.

book is in four sections.

e **Role-Play** section you will find the German phrases you may need to use or understand in situation.

e **General Conversation** section you will find straightforward questions and possible answers nost topics with *du* and *Sie* forms. Check if your teacher is most likely to use the *du* or *Sie* form e Speaking Test. There are also more open-ended questions together with suitable answers, and tions where you are asked to give and justify your opinion.

Presentations section has some suggestions for topics which you may wish to prepare. The l format for the exams which include this test is that you talk for about a minute introducing the ne, and then discuss it with your teacher for another couple of minutes. It is also possible to use e of the topics from the Conversation section for this exercise.

Improving your language section is aimed at making what you say more interesting. Phrases :h extend the variety and range of structures and vocabulary in your German are included. This on will be of most use to Higher Level candidates.

book is intended to help you do well. Merely owning it will not help you! Reading, learning practising its contents will.

Nicht vergessen: Übung macht den Meister! Viel Spaß!

SECTION 1: ROLE PLAY

All-purpose phrases

These phrases or part-phrases are essential. They could appear in many of the role play situation
Remember to learn how to ask questions as well as answer them.

Polite noises

Good morning	Guten Morgen!
Good day	Guten Tag!
Good evening	Guten Abend!
Hello	Hallo!
How are you?	Wie geht's?
please	bitte
thank you	danke (schön)
thank you	vielen Dank
not at all	bitte sehr, bitte schön
You are very kind	Sie sind sehr freundlich
Excuse me	Entschuldigung!
I would like	Ich möchte
May I ...?	Darf ich ...?
Please come in	Kommen Sie herein!
Sit down	Setzen Sie sich!
I'm sorry, but ...	Es tut mir Leid, aber ...
Don't mention it!	Gern geschehen!
Good-bye!	Auf Wiedersehen!
See you soon	Bis bald!
See you tomorrow	Bis morgen!

Best Wishes

Good Luck!	Viel Glück!
Happy Birthday!	Herzlichen Glückwunsch zum Geburtstag!
Happy Christmas!	Frohe Weihnachten!
Happy Easter!	Frohe Ostern!
Happy New Year!	Ein glückliches Neues Jahr!
Have a nice day!	Einen schönen Tag noch!

Questions

Why?	Warum?
When?	Wann?
Where?	Wo?
Where from?	Woher?
Where to?	Wohin?

What?	Was?
Who?	Wer?
How much?	Wie viel?
How many?	Wie viele?
How?	Wie?
What is ... like?	Wie ist ...?
What sort of ...?	Was für ...?
Is there/Are there ...?	Gibt es ...?

Agreeing and sympathising

Yes, of course	Ja, natürlich
Agreed	Einverstanden
What a shame!	(Wie) schade!
It doesn't matter	Es macht nichts
I don't mind	Es ist mir egal
With pleasure	Ja, gerne
Yes, I'd like to	Ja, ich möchte gern
Good idea!	Gute Idee!
Too bad	Das ist aber schade
Really?	Wirklich?
That's nice!	Das ist nett
OK	OK
Congratulations!	Herzlichen Glückw

Apologising

I'm sorry	Es tut mir Leid
It can't be helped	Wir können nichts
on purpose	mit Absicht
Don't worry	Keine Sorgen!
Let's forget it	Vergessen wir das!

Opinions

I like	Ich mag
I don't like	Ich mag nicht
I hate	Ich hasse
I can't stand	Ich kann ... nicht le
I prefer	Ich mag lieber

1

...is your opinion?.. Welcher Meinung bist du?
...e your opinion..... Ich bin deiner Meinung
...agree................. Ich bin einverstanden
...re right .... Du hast Recht
...: that ... . Ich denke, dass ...
..., so .... Ich glaube ja
...admit that .... Ich muss gestehen, dass ...
...t know .... Ich weiß nicht
...ssible .... Es ist möglich
...epends .... Es kommt darauf an
...say that ... . Man sagt, dass ...
...s .... vielleicht
...t think so .... Ich glaube nicht
...re wrong............. Du hast Unrecht
...t agree .... Ich bin nicht
                   einverstanden
...e him/her .... Ich gebe ihm/ihr Schuld

It's disgusting.............. Es ist ekelhaft
It's too complicated...... Es ist zu kompliziert
It's too difficult........... Es ist zu schwer
It's too dear................. Es ist zu teuer
It's too long/short........ Es ist zu lang/kurz
It's not practical .... Es ist nicht praktisch
It's not possible........... Es ist nicht möglich
It's too far away.......... Es ist zu weit weg

It annoys me................ Es ärgert mich
It gets on my nerves .....Es geht mir auf die
                             Nerven
It irritates me................ Es reizt mich auf
It makes me tired.......... Es macht mich müde
I have no money........... Ich habe kein Geld
I have no time .... Ich habe keine Zeit
It's unbelievable........... Es ist unglaublich

...ications

...it......................... Ich mag das
...nusing................. Es ist lustig
...licious .... Es ist lecker
...sy .... Es ist einfach
...scinating............ Es ist faszinierend
...teresting............... Es ist interessant
...rests me .... Es interessiert mich

...t like it................ Ich mag es nicht
...nnoying............... Es ist reizend
...vful .... Es ist furchtbar
...waste of time ...... Es ist Zeitverschwendung
...oring................... Es ist langweilig
...mplicated .... Es ist kompliziert
...fficult .... Es ist schwierig

Miscellaneous

Arrival .... Ankunft
Departure .... Abfahrt
open .... offen
closed.......................... geschlossen

finished, over .... fertig
reserved .... reserviert
Way in .... Eingang
Way out .... Ausgang

in spring...................... im Frühling
in summer .... im Sommer
in autumn.................... im Herbst
in winter...................... im Winter

There is/are .... Es gibt (+ acc)

...t have difficulties ...

...orry, I don't understand .... Es tut mir Leid, ich verstehe nicht
...d you repeat that, please? .... Könnten Sie das bitte wiederholen?
...does that mean?....................................... Was bedeutet das?
...ou speak English/German?........................ Sprechen Sie Englisch/Deutsch?
...is that called in German? .... Wie heißt das auf Deutsch?
...do you say that in German, please? .... Wie sagt man das auf Deutsch, bitte?
..., more slowly, please................................. Sprechen Sie langsamer, bitte!
...orgotten the word for ... . Ich habe das Wort für ... vergessen

2

you pronounce that?	Wie spricht man das aus?
you spell that, please?	Wie schreibt man das, bitte?
ou write that for me, please?	Könnten Sie das mir bitte aufschreiben?
explain that, please?	Könnten Sie das erklären, bitte?
help me, please?	Könnten Sie mir helfen, bitte?
come with me, please?	Kommen Sie bitte mit!

someone else

the matter?	Was ist los?
u got/Is there a problem?	Hast du/Gibt es ein Problem?
lp you?	Kann ich dir/Ihnen helfen?
elp you?	Darf ich Ihnen helfen?

ing things and people

rt of	Es ist eine Art ...
like	Es ist wie ...
er/smaller than ...	Es ist größer/kleiner als ...
ig/small as	Es ist so groß/klein wie ...
es he/she look like?	Wie sieht er/sie aus?
seems older	Er/Sie sieht älter aus
ms to be unhappy	Sie scheint unglücklich zu sein
black hair and brown eyes	Er hat schwarze Haare und blaue Augen
earing school uniform	Sie trägt Schuluniform

ctions you may meet in the Speaking Test

nstructions are given in both *Sie* and *du* forms

the question	Beantworten Sie/Beantworte die Frage!
the following information	Bitten Sie/Bitte um folgende Information!
estions	Stellen Sie/Stelle Fragen!
e the picture	Beschreiben Sie/Beschreibe das Bild!
conversation politely	Beenden Sie/Beende höflich das Gespräch!
	Erklären Sie/Erkläre!
e shopkeeper	Begrüßen Sie/Begrüße den Ladenbesitzer!
e examiner	Begrüßen Sie/Begrüße den Prüfer/die Prüferin!
the pictures/the photos	Schauen Sie/Schau die Bilder/die Fotos an!
	Wiederholen Sie/Wiederhole!
	Sprechen Sie/Sprich!
at you did	Sagen Sie/Sag, was Sie gemacht haben/ du gemacht hast
at you saw	Sagen Sie/Sag, was Sie gesehen haben/ du gesehen hast
the shopkeeper	Bedanken Sie sich/Bedanke dich beim Ladenbesitzer!

Use these symbols to make up a dialogue .... Benutzen Sie/Benutze diese Symbole, um ei
Dialog zu erfinden

You are going to answer some questions............ Sie werden/Du wirst einige Fragen beantwor

Personal identification

Hello

May I introduce ...? .... Darf ich ... vorstellen?

Pleased to meet you .... Angenehm

You know Chris, don't you?............................. Du kennst Chris, nicht wahr?

What is your first name?.................................. Wie ist dein Vorname?

My name is ... . Ich heiße ...

What nationality are you? .... Welche Staatsangehörigkeit hast du?

I am British.. Ich bin Brite/Britin

I am English .... Ich bin Engländer(in)

I am Irish/Scottish/Welsh............................... Ich bin Ire/Irin/Schotte/Schottin/Waliser(in)

Where do you come from?................................ Woher kommst du?

I come from London/Edinburgh .... Ich komme aus London/Edinburg

How old are you? .... Wie alt bist du?

I am 16 .... Ich bin sechzehn

When is your birthday?.................................... Wann hast du Geburtstag?

My birthday is November 30th .... Ich habe am 30. November Geburtstag

What is your date of birth? .... Wann bist du geboren?

I was born on 21 June 1984 .... Ich bin am 21. Juni 1984 geboren

In which year were you born?........................... In welchem Jahr bist du geboren?

I was born in 1983.. Ich bin 1983 geboren

Where do you live?.. Wo wohnst du?

I live in Malvern... Ich wohne in Malvern

What is your address?..................................... Wie ist deine Adresse?

Write your address in capital letters .... Schreib deinen Namen in Großbuchstaben!

I live at 302 Church Street .... Ich wohne 302 Church Street

What is your phone number? .... Wie ist deine Telefonnummer?

My phone number is 57 74 33 .... Meine Telefonnummer ist 57 74 33

Have you a fax number?.................................. Hast du eine Faxnummer?

No, sorry, I haven't got a fax number .... Nein, es tut mir Leid, ich habe keine Faxnum

How long have you lived in Malvern? .... Seit wann wohnst du in Malvern?

I have lived here for ten years.......................... Ich wohne seit zehn Jahren hier

Have you any brothers or sisters?...................... Hast du Geschwister?

I have a brother. His name is Paul..................... Ich habe einen Bruder. Er heißt Paul

He is older than I am. He is 18......................... Er ist älter als ich. Er ist 18

I have a sister... Ich habe eine Schwester

She is 13. She is younger than I am .... Sie ist 13. Sie ist jünger als ich

What does your father/mother do? .... Was ist dein Vater/deine Mutter von Beruf?

He is a builder. She is a nurse	Er ist Maurer. Sie ist Krankenschwester
My brother is married	Mein Bruder ist verheiratet
My sister is single/engaged	Meine Schwester ist ledig/verlobt
My parents are separated/divorced	Meine Eltern sind getrennt/geschieden
My mother is a widow	Meine Mutter ist Witwe
My father is dead	Mein Vater ist tot

Being a guest

Arriving

How are you?..	Wie geht es dir?
I'm very well, thank you	Es geht mir sehr gut, danke
How are your parents?	Wie geht es deinen Eltern?
They are well, thank you....................................	Es geht ihnen gut, danke
And how is your brother?...................................	Und wie geht es deinem Bruder?
Unfortunately he is ill. He has flu......................	Leider ist er krank. Er hat die Grippe
Have you had a good journey?	Hast du eine gute Reise gehabt?
The journey was very long.................................	Die Reise war sehr lang
The crossing was bad/good	Die Überfahrt war schlecht/gut
I was sea-sick...	Ich war seekrank
I am tired	Ich bin müde
Would you like something to eat/drink?.............	Möchtest du etwas essen/trinken?
Yes, I'm hungry/I'm thirsty	Ja, ich habe Hunger/ich habe Durst
Where is the bathroom?	Wo ist das Badezimmer?
The bathroom is on the first floor......................	Das Badezimmer ist im ersten Stock
May I have a shower/wash?	Darf ich mich duschen/waschen?
Here is your room/the bathroom.........................	Hier ist dein Zimmer/das Badezimmer
You can put your things in this cupboard	Du kannst deine Sachen in diesen Schrank tun
Do you need anything?......................................	Brauchst du irgendetwas?
I need some soap, please	Ich brauche Seife, bitte
I have forgotten my toothbrush	Ich habe meine Zahnbürste vergessen
Can you lend me a flannel?	Könntest du mir einen Waschlappen leihen?
Did you sleep well?...	Hast du gut geschlafen?
I slept very well, thank you	Ich habe sehr gut geschlafen, danke
What do you usually have for breakfast?............	Was isst du normalerweise zum Frühstück?
I have toast and tea..	Ich esse Toast und ich trinke Tee
Is there anything you don't like to eat?..............	Gibt es etwas, was du nicht gern isst?
I don't like spinach	Ich esse nicht gern Spinat
Is this your first visit to Germany?	Bist du zum ersten Mal in Deutschland?
Have you ever been abroad before?...................	Warst du schon einmal im Ausland?
I took part in a school exchange last year	Ich habe letztes Jahr an einem Schulaustausch teilgenommen
I have been to Spain with my parents.................	Ich bin mit meinen Eltern nach Spanien gefahren

In the home

Would you like to listen to cassettes/the radio? .. Möchtest du Kassetten/Radio hören?

Would you like to watch TV/a video? .... Möchtest du fernsehen/ein Video sehen?

Would you like to borrow my Walkman®? .... Möchtest du meinen Walkman® leihen?

Would you like to go out this evening? .... Möchtest du heute Abend ausgehen?

Yes, please .... Ja, bitte

May I help you? .... Darf ich Ihnen/dir helfen?

Shall we set/clear the table? .... Sollen wir den Tisch decken/abräumen?

Will you close the window, please? .... Kannst du bitte das Fenster zumachen?

What is there to be done? .... Was gibt es zu tun?

I have to tidy up my room .... Ich muss mein Zimmer aufräumen

I am going to do my homework .... Ich mache meine Hausaufgaben

Would you like to borrow a book? .... Möchtest du ein Buch leihen?

What is it about? .... Worum handelt es sich?

Who is it by? .... Wer hat das Buch geschrieben?

I like reading books and magazines .... Ich lese gern Bücher und Zeitschriften

I don't like reading newspapers .... Ich lese nicht gern Zeitungen

May I watch TV/listen to the radio, please? .... Darf ich fernsehen/Radio hören, bitte?

May I phone my parents, please? .... Darf ich meine Eltern anrufen, bitte?

Goodbye

See you soon/sometime/next year .... Bis bald/Bis irgendwann mal/Bis nächstes Jahr

Have a good journey home .... Komm gut nach Hause!

Thank you for everything .... Vielen Dank für alles

I've had a wonderful holiday .... Ich habe einen wunderbaren Urlaub gehabt

You have been so kind .... Ihr seid so nett gewesen

I'll come with you to the station .... Ich komme mit dir zum Bahnhof

Phone us when you get home, please .... Bitte ruf uns an, wenn du zu Hause bist!

Have you forgotten anything? .... Hast du etwas vergessen?

Have you got everything? .... Hast du alles?

Say thank you to your parents for me, please ..... Sag deinen Eltern bitte vielen Dank von mir!

Will you be able to come back next year? .... Kannst du nächstes Jahr zurückkommen?

I'd love to come and see you again .... Ich möchte sehr gern zurückkommen

Write soon! .... Schreib bald!

School

What time do you get up? .... Um wie viel Uhr stehst du auf?

I get up at 7.00 .... Ich stehe um 7 Uhr auf

What time do you leave home in the morning? .. Um wie viel Uhr verlässt du morgens das Haus?

I leave home at 8.15 .... Ich verlasse das Haus um Viertel nach acht

How do you go to school? .... Wie kommst du zur Schule?

I go by bus/car/train/bike .... Ich fahre mit dem Bus/Auto/Zug/Rad

My brother walks to school .... Mein Bruder geht zu Fuß zur Schule

We live 2 km from school.................................Wir wohnen 2 Kilometer von der Schule entfernt

It takes me 20 minutes to walk.........................Es ist 20 Minuten zu Fuß

What time do you arrive at school?..................Um wie viel Uhr kommst du in der Schule an?

I arrive at school at 8.35.................................Ich komme um 25 vor 9 in der Schule an

When do lessons start?.....................................Wann beginnt der Unterricht?

Lessons start at 9.00...Der Unterricht beginnt um 9 Uhr

When is your lunch time?.................................Wann hast du Mittagspause?

Lunch time is at 12.30.......................................Die Mittagspause ist um halb eins

When does school end?.....................................Wann ist die Schule aus?

School ends at 3.40...Die Schule ist um 20 vor 4 aus

What time do you get home?............................Um wie viel Uhr kommst du zu Hause an?

I get home at 4.10...Ich komme um 10 nach 4 zu Hause an

What time do you go to bed?............................Um wie viel Uhr gehst du ins Bett?

I go to bed at 10.30...Ich gehe um halb elf ins Bett

How many lessons do you have each day?.........Wie viele Stunden hast du pro Tag?

We have six lessons a day.................................Wir haben sechs Stunden pro Tag

How long do your lessons last?.........................Wie lange dauern die Stunden?

Our lessons last 50 minutes.............................Unsere Stunden dauern 50 Minuten

What is your favourite subject?.........................Was ist dein Lieblingsfach?

My favourite lesson is German.........................Mein Lieblingsfach ist Deutsch

Which subject do you dislike?..........................Welches Fach hast du nicht gern?

I can't stand History...Ich kann Geschichte nicht leiden

I find German very difficult.............................Ich finde Deutsch sehr schwer

My sister prefers PE...Meine Schwester hat lieber Sport

What do you do during break?.........................Was machst du in der Pause?

I talk to my friends during break.....................In der Pause unterhalte ich mich mit meinen Freunden

Do you eat in the canteen at midday?.............Isst du zu Mittag in der Kantine?

What do you eat at lunch time?.......................Was isst du zu Mittag?

I have sandwiches at midday...........................Zu Mittag esse ich Butterbrote

How many weeks summer holiday do you have? .... Wie viele Wochen Sommerferien hast du?

We have six weeks' holiday in summer.............Im Sommer haben wir sechs Wochen Ferien

When do you go back to school?.......................Wann fängt die Schule wieder an?

We go back on September 6th...........................Das Schuljahr beginnt am 6. September

Do you have a lot of homework?......................Hast du viele Hausaufgaben?

Yes, I think we get too much homework...........Ja, ich meine, dass wir zu viele Hausaufgaben bekommen

How many hours homework do you do each evening?..... Wie viele Stunden Hausaufgaben machst du jeden Abend?

I do two hours homework each evening.............Ich mache jeden Abend zwei Stunden Hausaufgaben

What do you do in the evening?.......................Was machst du abends?

I do my homework and listen to music.............Ich mache meine Hausaufgaben und ich höre Musik

Do you help your father/mother prepare the meal? ..Hilfst du deinem Vater/deiner Mutter das Essen vorzubereiten?

No, but I have to do the washing up .... Nein, aber ich muss spülen

Do you watch TV in the evening? .... Siehst du abends fern?

Yes, sometimes .... Ja, manchmal

Jobs and pocket money

Do you have a Saturday job? .... Hast du einen Samstagsjob?

Yes, I work on Saturday .... Ja, ich arbeite am Samstag

No, I do not have a Saturday job .... Nein, ich habe keinen Samstagsjob

Where do you work? .... Wo arbeitest du?

I work in a shop .... Ich arbeite in einem Geschäft

What is your job? .... Was ist dein Job?

I am a sales assistant .... Ich bin Verkäufer(in)

When do you start work in the morning? .... Wann beginnt morgens die Arbeit?

I start at 8.00 am .... Ich beginne um 8 Uhr

How much do you earn an hour? .... Wie viel verdienst du pro Stunde?

I earn £... per hour .... Ich verdiene ... Pfund pro Stunde

What time do you finish work? .... Um wie viel Uhr bist du mit der Arbeit fertig?

I finish work at 4.30 .... Ich bin um halb fünf fertig

I go babysitting for neighbours .... Ich babysitte für die Nachbarn

My parents give me £... pocket money each week
.... Meine Eltern geben mir £... Taschengeld pro Woche

What do you do with your money? .... Was machst du mit deinem Geld?

I am saving up for a computer .... Ich spare für einen Computer

I like buying clothes/books/computer games ...... Ich kaufe gern Kleidung/Bücher/Computerspiele

Shopping

You will say:

Is there a post-office near here? .... Gibt es hier in der Nähe eine Post?

Which is the way to the bank, please? .... Wie komme ich zur Bank, bitte?

Do you sell ...? .... Verkaufen Sie ...?

May we look round? .... Darf ich mich umsehen?

I'm just looking .... Ich sehe mich nur um

Please could you tell me where I can buy ...? ..... Könnten Sie mir bitte sagen, wo ich ... kaufen kann?

I would prefer ... . Ich hätte lieber ...

How much is it? .... Was kostet das?

Do I have to pay at the till? .... Muss ich an der Kasse bezahlen?

May I pay by credit card/cheque? .... Darf ich mit Kreditkarte/Scheck bezahlen?

Do you take cheques? .... Nehmen Sie Schecks?

Have you change for 50 DM? .... Könnten Sie 50 Mark wechseln?

I have only a 50 DM note .... Ich habe nur einen Fünfzigmarkschein

You will hear:

Who is next?	Wer ist dran?
May I help you?	Kann ich Ihnen helfen?
Anything else?	Sonst noch etwas?
We haven't got any	Wir haben keine
Is that all?	Ist das alles?
Have you any change?	Haben sie Kleingeld?
What is your size? (Clothes)	Welche Größe haben Sie?
What size do you take? (Shoes)	Welche Schuhgröße haben Sie?

Food

Have you any bread/meat/eggs?	Haben Sie Brot/Fleisch/Eier?
Have you got a small packet of coffee?	Haben Sie eine kleine Packung Kaffee?
I would like three peaches, please	Ich möchte drei Pfirsiche, bitte
Give me a kilo of potatoes, please	Geben Sie mir ein Kilo Kartoffeln, bitte
I'll take two tins of sardines	Ich nehme zwei Dosen Sardinen
I'd like 100 grammes of chocolate	Ich möchte 100 Gramm Schokolade
No thank you, I won't take that - it's too dear	Nein danke, ich nehme das nicht - es ist zu teuer

Amounts and quantities

100 grammes/500 grammes of cherries	100 Gramm/500 Gramm Kirschen
a kilo of apples	ein Kilo Äpfel
a bottle of ...	eine Flasche ...
a jar of ...	ein Glas ...
a packet/tin of biscuits	eine Packung/Dose Kekse
a piece of cake	ein Stück Kuchen
a slice of ham	eine Scheibe Schinken
The oranges are 1 DM each	Die Apfelsinen kosten eine Mark das Stück

Clothes

What size is it?	Welche Größe ist das?
I am size 14	Ich trage Größe 40
How much does that pullover cost?	Was kostet der Pullover?
Do you have it in a different colour?	Haben Sie ihn in einer anderen Farbe?
May I try on the blue skirt, please?	Darf ich den blauen Rock anprobieren, bitte?
It's too big/small/tight/expensive	Er ist zu groß/klein/eng/teuer
Have you anything cheaper?	Haben Sie etwas Billigeres?

Shoes

Where is the shoe department, please?	Wo ist die Schuhabteilung, bitte?
I would like to try on these black shoes, please	Ich möchte diese schwarzen Schuhe anprobieren, bitte
I take size 5	Ich trage Größe 38
They are too tight	Sie sind zu eng
I prefer the blue sandals	Ich habe die blauen Sandalen lieber

Presents and souvenirs

Have you any postcards, please?........................Haben Sie Postkarten, bitte?
Do you sell films?..Verkaufen Sie Filme?
What is the price of this book, please?...............Was kostet dieses Buch, bitte?
I would like to buy a black leather handbag.......Ich möchte eine schwarze Ledertasche kaufen
May I see the bag in the window?.......................Darf ich die Tasche im Schaufenster sehen?
It's for a present...Es soll ein Geschenk sein
Will you gift-wrap it, please?............................Könnten Sie es als Geschenk einwickeln, bitte?

Problems

I think there is a mistake...................................Ich glaube, da stimmt etwas nicht
The colour does not suit me...............................Die Farbe passt mir nicht
I have kept the receipt.......................................Ich habe die Quittung noch
I would like to change this bag ....Ich möchte diese Tasche tauschen
I followed the washing instructions,...................Ich bin der Anleitung gefolgt,
    but this jumper has shrunk   aber dieser Pullover ist eingelaufen
Excuse me, these socks are not the same size.....Entschuldigen Sie bitte, diese Socken haben nicht
                                                                       dieselbe Größe

Eating and drinking

In a café

Could you tell me the way to ....Wie kommt man am besten zum
    the Café Kranzler, please?   Café Kranzler, bitte?
I've promised to meet my penfriend there..........Ich habe meinem Brieffreund/meiner Brieffreundin
                                                                       versprochen, ihn/sie da zu treffen
Let's go for a drink...Wollen wir was trinken?
I'll buy you a drink...Ich lade dich ein
I'm paying...Ich bezahle
What will you have?...Was möchtest du?
What would you like to drink?..........................Was möchtest du trinken?
Waiter!/Waitress! ....Herr Ober!/Fräulein!
Do you wish to order? ....Wollen Sie bestellen?
I would like a bottle of lemonade, please...........Ich möchte eine Flasche Limonade, bitte
I would like a beer, please ....Ich möchte ein Bier, bitte
Anything else?...Sonst noch etwas?
Have you any crisps, please? ....Haben Sie Chips, bitte?
Do you sell sandwiches?...................................Verkaufen Sie Butterbrote?
What sort of sandwiches have you? ....Was für belegte Brote haben Sie?
Have you any cheese sandwiches, please?..........Haben Sie Käsebrote, bitte?
How much is a ham sandwich?..........................Was kostet ein Schinkenbrot?
How much do I owe you?..................................Was kostet das?
Is the service charge included?.........................Ist die Bedienung inbegriffen?

In a restaurant

Have you a table for four?...................................Haben Sie einen Tisch für vier?

What name is it? ....Wie ist Ihr Name?

I'd like a table near the window/.......................Ich möchte einen Tisch neben dem Fenster/
    on the terrace, please   auf der Terrasse, bitte

I've reserved a table in the name of Roberts.......Ich habe einen Tisch unter dem Namen Roberts
                                                    reserviert

I'd like to see the menu, please ....Ich möchte die Speisekarte sehen, bitte

What do you recommend?...................................Was empfehlen Sie?

I recommend the fish ....Ich empfehle den Fisch

Today's set meal is ... .Heute ist das Tagesgericht ...

Have you decided?..Haben Sie gewählt?

I'd like to order now ....Ich möchte jetzt bestellen

To start with, I'll have tomato salad..................Als Vorspeise nehme ich den Tomatensalat

For the main course, I'd like chicken and chips..Als Hauptgericht nehme ich Hähnchen mit Pommes
                                                    Frites

What sort of vegetables do you have? ....Was für Gemüse haben Sie?

I like mushrooms ....Ich esse gern Pilze

I won't have spinach; I don't like spinach ....Ich nehme keinen Spinat; ich esse nicht gern Spinat

I'll have peas and carrots, please ....Ich möchte Erbsen und Karotten, bitte

For dessert I'll have ice cream...........................Als Nachtisch möchte ich ein Eis

Which flavours do you have?..............................Welche Eissorten haben Sie?

I prefer chocolate ice cream ....Ich esse lieber Schokoladeneis

I'll have mineral water to drink.........................Ich möchte Mineralwasser trinken

May I have the bill, please ....Zahlen, bitte!

Difficulties

We need another fork...Wir brauchen noch eine Gabel

I ordered 20 minutes ago...................................Ich habe vor 20 Minuten bestellt

That's not what I ordered ....Das habe ich nicht bestellt

You have brought vanilla ice cream, ...Sie haben Vanilleeis gebracht,
    but I ordered a chocolate ice cream   aber ich habe ein Schokoladeneis bestellt

We would like some sugar, please......................Wir hätten gern Zucker, bitte

The soup is too salty ....Die Suppe ist versalzen

Please will you change this glass........................Könnten Sie bitte dieses Glas auswechseln?

I think there is a mistake in the bill ....Ich glaube, die Rechnung stimmt nicht

Services

At the bank

Which is the counter for changing money?.........An welchem Schalter wechselt man Geld?

I would like to change some travellers' cheques. ....Ich möchte bitte Reiseschecks wechseln

Is there a commission?.....................................Gibt es eine Provision?

What is the exchange rate for the pound?..........Wie steht das Pfund heute?

Have you any means of identification? .... Können Sie sich ausweisen?
May I see your passport? .... Darf ich Ihren Pass sehen?
Do I have to sign?.. Muss ich unterschreiben?
Where do I have to sign? .... Wo muss ich unterschreiben?
Would you sign here, please .... Könnten Sie bitte hier unterschreiben?
What is today's date?...................................... Den wie vielten haben wir heute?
May I borrow a pen, please?............................ Kann ich bitte einen Kuli leihen?
What time does the bank open/close?................. Wann macht die Bank auf/zu?

At the Post Office
How much does it cost to send a letter .... Was kostet ein Brief
   to Britain, please?   nach Großbritannien, bitte?
I would like to send this parcel to Britain........... Ich möchte dieses Paket nach Großbritannien schicken
How long will it take? .... Wie lange dauert es?
Letters usually take three days .... Briefe kommen gewöhnlich nach drei Tagen an
Two stamps at 1 DM/1,10 DM, please.............. Zwei Briefmarken zu einer Mark/einer Mark zehn, bitte
Where is the letter box? .... Wo ist der Briefkasten?
Over there, next to the phone box .... Da drüben, neben der Telefonzelle
I'd like to send a telegram............................... Ich möchte ein Telegramm schicken
How much is it per word?................................ Was kostet es pro Wort?
What time is the next collection? .... Wann ist die nächste Leerung?
Is the post office open on Monday morning, please?... Hat die Post am Montagmorgen auf, bitte?
Will you weigh this parcel, please?................... Könnten Sie bitte dieses Paket wiegen?
Is there a letter for me, please? .... Gibt es Post für mich, bitte?
What is your name?... Wie heißen Sie?
My name is ... . Mein Name ist ...
Have you any means of identification? .... Können Sie sich ausweisen?
Here is my passport .... Hier ist mein Pass

Using the phone
Hello, Anne speaking....................................... Hallo, hier ist Anne
This is the Schmidt house .... Hier bei Schmidt
I am ...'s English penfriend.............................. Ich bin ...s englischer Brieffreund/...s englische
                                                     Brieffreundin
Is Laura there?... Ist Laura da?
Everyone's out. Can I take a message? .... Niemand ist zu Hause. Kann ich etwas ausrichten?
It's the first time I've used a phone in Germany ..... Ich rufe zum ersten Mal in Deutschland an
Say that again, please...................................... Könnten Sie das bitte wiederholen?
Will you spell that, please? .... Könnten Sie das bitte buchstabieren?
You are wanted on the phone............................ Sie werden am Telefon verlangt
Can I use the phone box outside the Post Office?..... Kann ich die Telefonzelle vor der Post
                                                     benutzen?
Is it a card phone?... Ist es ein Kartentelefon?

Do you sell phone cards? ....Verkaufen Sie Telefonkarten?

I would like a 12 DM phone card.......................Ich möchte eine Telefonkarte zu 12 Mark?

Can I phone from here?...................................Kann ich von hier aus anrufen?

Can you get me 57 43 33, please........................Könnten Sie mich mit 57 43 33 verbinden?

What is your phone number?............................Wie ist Ihre Telefonnummer?

Do you know the code?...................................Wissen Sie die Vorwahl?

What is the code for London? ....Wie ist die Vorwahl für London?

Our phone number is 01684 57 74 33.................Unsere Telefonnummer ist 01684 57 74 33

Where are the directories?................................Wo sind die Telefonbücher?

You must phone Directory Enquiries ....Man muss die Fernsprechauskunft anrufen

Can you tell me the number of the ....Könnten Sie mir die Nummer des
     hospital, please?   Krankenhauses geben, bitte?

I would like to reverse the charges ....Ich möchte ein R-Gespräch machen

I've been cut off..Ich bin unterbrochen worden

Hold the line/Don't hang up..............................Bleiben Sie am Apparat!

I need to phone UK...Ich muss Großbritannien anrufen

Please what must I do?......................................Was muss ich tun, bitte?

To ring the UK,...Um nach Großbritannien zu telefonieren,
     dial 00 44, then the area code without the 0,   wählen Sie 00 44, dann die britische Vorwahl
     then the number of the person you are ringing   ohne die Null, dann die Rufnummer

The workplace

Phoning at work

Is Herr Braun available today?...........................Ist Herr Braun heute zu sprechen?

May I speak to the Personnel Manager, please?.. .... Darf ich mit dem Personalleiter sprechen, bitte?

I have an appointment with the Personnel Manager. Ich habe einen Termin beim Personalleiter

I saw your advert in the paper ....Ich habe Ihr Inserat in der Zeitung gesehen

Can you send me a job application form, please? .... Könnten Sie mir ein Bewerbungsformular
                                                           schicken, bitte?

I would like to speak to ... .Ich möchte mit ... sprechen

Can you put me through to ..., please?................Könnten Sie mich mit ... verbinden, bitte?

Do you know his/her extension?........................Wissen Sie seinen/ihren Nebenanschluss?

I would like to make an appointment with ... .Ich möchte einen Termin mit ... machen

Who is speaking?...Wer ist am Apparat?

Can you wait?..Könnten Sie warten?

She/He is in a meeting ....Sie/Er ist in einer Sitzung

When can I speak to her/him? ....Wann kann ich mit ihr/ihm sprechen?

I phoned, but it was engaged..............................Ich habe angerufen, aber es war besetzt

Can you ring back? ....Könnten Sie nochmals anrufen?

What time shall I ring back?...............................Wann soll ich wieder anrufen?

I'll ring back at midday.....................................Ich rufe um Mittag nochmals an

May I leave a message?......................................Könnten Sie ihm etwas ausrichten?

13

Please tell Herr Braun that Frau Finkel called.... Bitte sagen Sie Herrn Braun, dass Frau Finkel angerufen hat

May I take a message for him/her? .... Darf ich ihm/ihr etwas ausrichten?

Can we arrange a meeting?............................... Könnten wir ein Treffen vereinbaren?

Can you fax me a message?.............................. Könnten Sie mir eine Nachricht faxen?

My fax number is ... . Meine Faxnummer ist ...

Can you send me an e-mail, please?................. Könnten Sie mir eine E-Mail schicken, bitte?

My e-mail address is ... . Meine E-Mail Nummer ist ...

Applying for a job

Where is the Job Centre, please?........................ Wo ist das Arbeitsamt, bitte?

I would like to find a job .... Ich möchte einen Job finden

I'm looking for a part-time job .... Ich suche einen Teilzeitjob

Where do you come from?................................ Woher kommen Sie?

I come from Malvern.. Ich komme aus Malvern

How long are you staying long in Germany? ..... Wie lange bleiben Sie in Deutschland?

I'm staying here for six weeks .... Ich bleibe sechs Wochen hier

What work have you done before?..................... Was für Arbeit haben Sie schon gemacht?

I've worked in a supermarket........................... Ich habe in einem Supermarkt gearbeitet

Why did you decide to apply for this job?.......... Warum haben Sie sich entschlossen, sich um diesen Job zu bewerben?

It interests me .... Es interessiert mich

Have you any experience of office work? .... Haben Sie schon in einem Büro gearbeitet?

Yes, I did work experience in an office.............. Ja, ich habe ein Betriebspraktikum in einem Büro gemacht

Are you computer-literate? .... Haben Sie Erfahrung mit Computern?

Yes, I have a computer at home .... Ja, ich habe zu Hause einen Computer

What languages have you studied, besides German? ..... Welche Sprachen haben Sie außer Deutsch studiert?

I have studied French/Spanish .... Ich habe Französisch/Spanisch studiert

Are you willing to work on Saturday? .... Sind Sie bereit, am Samstag zu arbeiten?

Yes, certainly.. Ja, sicher

Could you give me details about the job?........... Könnten Sie mir die Jobeinzelheiten geben?

You will deal with the post .... Sie werden sich mit der Post befassen

You will have to do the filing .... Sie müssen alles ablegen

When could you start? .... Wann könnten Sie anfangen?

I can start any time .... Ich kann zu jeder Zeit beginnen

Will you fill in the form, please? .... Könnten Sie bitte dieses Formular ausfüllen?

Holidays

At the tourist office

What should we see in the town? .... Was sollten wir in der Stadt sehen?

Do you do guided tours of the town? .... Kann man eine Stadtrundfahrt/einen Stadtrundgang machen?

I would like a town plan, please ....Ich möchte einen Stadtplan, bitte

Have you got a map of the area? ....Haben Sie eine Landkarte von der Gegend?

Can you give me a list of campsites?.................Könnten Sie mir eine Liste der Campingplätze geben?

Can you recommend a good hotel/ ....Könnten Sie ein gutes Hotel/
　　restaurant in the town?　　　　　　　　　　Restaurant in der Stadt empfehlen?

We are only spending three days here ....Wir verbringen nur drei Tage hier

Have you any brochures about the cathedral?.....Haben Sie Broschüren über den Dom?

When is the museum open?..............................Wann hat das Museum auf?

Is it closed on Tuesdays?................................Ist es dienstags geschlossen?

Do you have to pay to go in?...........................Muss man Eintrittsgeld bezahlen?

Where is the bus station?.................................Wo ist der Busbahnhof?

May I have a bus timetable, please? ....Darf ich bitte einen Busfahrplan haben?

Can one go for trips to the seaside? ....Kann man Ausflüge zur See machen?

Where can I hire a car/bike?............................Wo kann ich ein Auto/ein Rad leihen?

Have you information about.............................Haben Sie Informationen über
　　other parts of Germany?　　　　　　　　　　andere Gegenden in Deutschland?

I like visiting castles/churches..........................Ich besichtige gern Schlösser/Kirchen

I have never been there ....Ich war noch nie da

Can I get there by train?..................................Kann man mit der Bahn dahin kommen?

Do I have to go on the motorway? ....Muss ich auf der Autobahn fahren?

Where do I get onto it?....................................Wo komme ich auf die Autobahn?

Which exit is it?..Welche Ausfahrt ist es?

It's exit Köln/Zoo ....Es ist Ausfahrt Köln/Zoo

At the hotel

Have you any rooms available?.........................Haben Sie Zimmer frei?

No, I'm sorry, the hotel is full..........................Nein, es tut mir Leid, das Hotel ist belegt

Is there another hotel nearby?..........................Gibt es hier in der Nähe noch ein Hotel?

I have reserved a room in the name of Roberts...Ich habe ein Zimmer unter dem Namen Roberts reserviert

I phoned two days ago ....Ich habe vor zwei Tagen angerufen

I sent you a fax yesterday................................Ich habe Sie gestern gefaxt

No, I am not Mr X, I am Mr Y ....Nein, ich bin nicht Herr X, ich bin Herr Y

I would like a single room................................Ich möchte ein Einzelzimmer

I would like a double room ....Ich möchte ein Doppelzimmer

with a double bed/with twin beds ....mit einem Doppelbett/mit zwei Betten

with bathroom/shower.....................................mit Bad/Dusche

For how long?/For how many nights? ....Für wie lange?/Für wie viele Nächte?

We shall be staying for four nights....................Wir bleiben vier Nächte

What is the price per person/per night? ....Was kostet es pro Person/pro Nacht?

Is breakfast included?.....................................Ist das mit Frühstück?

May I have the key to my room, please? ....Darf ich bitte den Schlüssel für mein Zimmer haben?

Here is the key for room 38 .... Hier ist der Schlüssel für Zimmer 38

Is there a car-park? .... Gibt es einen Parkplatz?

You can park behind the hotel .... Man kann hinter dem Hotel parken

Parking is not allowed in front of the hotel .... Vor dem Hotel darf man nicht parken

When is breakfast? .... Wann ist das Frühstück?

You can have breakfast between 7.00 and 10.00 ..... Es gibt Frühstück zwischen 7 Uhr und 10 Uhr

At what time is dinner served? .... Wann kann man zu Abend essen?

Dinner is served from 8.00 until 10.00 pm .... Man kann von 8 bis 10 Uhr zu Abend essen

Is there a lift? .... Gibt es einen Fahrstuhl?

Does the hotel have a restaurant? .... Hat das Hotel ein Restaurant?

I'm sorry, we do not have a restaurant .... Es tut mir Leid, wir haben kein Restaurant

There is a very good restaurant on the corner ..... Es gibt ein sehr gutes Restaurant an der Ecke

May I have towels and soap for Room 38, please ..... Darf ich Handtücher und Seife für Zimmer 38
         haben, bitte?

There are no coathangers in Room 17 .... Es gibt keine Kleiderbügel im Zimmer 17

I have lost the key to my room .... Ich habe den Schlüssel für mein Zimmer verloren

I'm sorry, but I have broken the lamp .... Es tut mir Leid, aber ich habe die Lampe gebrochen

We could not sleep because of the traffic .... Wir konnten wegen des Verkehrs nicht schlafen

We would like to change rooms, please .... Wir möchten gern ein anderes Zimmer haben, bitte

Please can someone bring up my cases? .... Kann man meine Koffer hinauftragen, bitte?

May I have the bill, please? .... Darf ich bitte die Rechnung haben?

At the youth hostel

Where is the nearest youth hostel, please? .... Wo ist die nächste Jugendherberge, bitte?

May I see the warden, please? .... Darf ich mit dem Herbergsvater sprechen, bitte?

Have you any beds available for tonight? .... Haben Sie Betten für heute Abend frei?

There are three of us, two girls and one boy .... Wir sind drei, zwei Mädchen und ein Junge

How much is it per day? .... Was kostet es pro Tag?

How much is breakfast/evening meal? .... Was kostet das Frühstück/Abendessen?

Can I hire a sleeping bag? .... Kann ich einen Schlafsack leihen?

Where is the boys'/girls' dormitory, please? ...... Wo ist der Jungen-/Mädchenschlafraum, bitte?

The girls' dormitory is on the first floor .... Der Mädchenschlafraum ist im ersten Stock

The TV room/day room/games room .... Der Fernsehraum/Aufenthaltsraum/Spielraum
     is on the ground floor   ist im Erdgeschoss

What time do we have to be back at night? .... Wann müssen wir abends zurück sein?

At the camp site

Have you room for a tent ? .... Haben Sie Platz für ein Zelt?

Have you a pitch for a caravan, please? .... Haben Sie Platz für einen Wohnwagen, bitte?

How long do you plan to stay? .... Wie lange haben Sie vor zu bleiben?

We would like to stay until Saturday, ... Wir möchten bis Samstag bleiben,
     four nights in all   insgesamt vier Nächte

I would like to be near the swimming pool .... Ich möchte in der Nähe des Schwimmbads sein

I do not like being under trees .... Ich bin nicht gern unter Bäumen
How many people are there? .... Wie viele sind Sie?
There are four of us, 2 adults and 2 children ...... Wir sind vier, 2 Erwachsene und 2 Kinder
Is there a reduction for children? .... Gibt es eine Kinderermäßigung?
Is there a shop on site? .... Gibt es ein Geschäft auf dem Campingplatz?
The toilet block is by the trees .... Die Toiletten sind neben den Bäumen
The dustbins are behind the toilet block .... Die Mülltonnen sind hinter den Toiletten
Is there an electric connection for caravans? .... Gibt es Strom für Wohnwagen?
Where can I get bottles of Camping Gaz®? .... Wo kann ich Camping Gaz® bekommen?
Is there a play area for the children? .... Gibt es einen Kinderspielplatz?
Can we get take-away meals on site? .... Kann man hier Essen zum Mitnehmen kaufen?
The shower is not working .... Die Dusche funktioniert nicht
We have no electricity .... Wir haben keinen Strom
May we have a barbecue? .... Darf man grillen?

Travel and transport

By train

Where is the nearest station? .... Wo ist der nächste Bahnhof?
How far is that? .... Wie weit ist das?
Where is that exactly? .... Wo ist es genau?
What time does the train leave for Berlin? .... Wann fährt der Zug nach Berlin?
When/At what time does it arrive there? .... Wann/Um wie viel Uhr kommt er dort an?
Which platform does the train go from? .... Wo fährt der Zug ab?
Is it a through train? .... Fährt der Zug durch?
Do I have to change? .... Muss ich umsteigen?
When does the train from Hamburg arrive? .... Wann kommt der Zug aus Hamburg an?
A single ticket to Frankfurt, please .... Einmal einfach nach Frankfurt, bitte
A second class return to Bonn, please .... Einmal zweiter Klasse hin und zurück nach Bonn,
                                                                              bitte
When does the next train for Vienna leave? .... Wann fährt der nächste Zug nach Wien?
Is there a train this morning/ .... Gibt es einen Zug heute Morgen/
    about 3.00 pm/this evening?   gegen drei Uhr nachmittags/heute Abend?
I'd like to reserve a seat .... Ich möchte einen Platz reservieren
I'd like a seat near the window .... Ich möchte einen Fensterplatz
How long does the journey take? .... Wie lange dauert die Reise?
The journey takes about two hours .... Die Reise dauert etwa zwei Stunden
How much does a first class ticket cost? .... Was kostet eine Fahrkarte erster Klasse?
How long will I have to wait? .... Wie lange muss ich warten?
Will the train arrive on time? .... Kommt der Zug pünktlich an?
The train will be an hour late .... Der Zug hat eine Stunde Verspätung
You have missed the train .... Sie haben den Zug verpasst
It left ten minutes ago .... Er ist vor 10 Minuten abgefahren
It is already 10 past 9 .... Es ist schon zehn nach neun

It is not yet 10.30.. Es ist noch nicht halb elf

The clock is right.. Die Uhr geht richtig

The clock is fast/slow .... Die Uhr geht vor/nach

By plane

When does the next plane for Berlin leave? .... Wann geht die nächste Maschine nach Berlin?

Is there a flight today/this morning/ .... Gibt es einen Flug heute/heute Morgen/
this evening? heute Abend?

I'd like a seat in the non-smoking section .... Ich möchte einen Nichtraucherplatz

A tourist class ticket .... Eine Karte der Touristenklasse

I would like to leave this morning...................... Ich möchte heute Morgen abreisen

There are no more seats available .... Es gibt keine Plätze mehr

I'd like to change flights.................................... Ich möchte meinen Flug umbuchen

Is there a coach/bus to the airport?..................... Gibt es einen Bus zum Flughafen?

Can you confirm the arrival time of.................. Könnten Sie die Ankunftszeit der Maschine
the plane from London? aus London bestätigen?

Can you confirm the departure time of.............. Könnten Sie die Abfahrtszeit der Maschine
the plane to Madrid? nach Madrid bestätigen?

The flight has been delayed .... Der Flug hat Verspätung

It took off an hour late...................................... Sie ist mit einer Stunde Verspätung abgeflogen

Where are my cases? .... Wo sind meine Koffer?

I checked them in at Heathrow.......................... Ich habe sie in Heathrow eingecheckt

Where is the duty-free shop? .... Wo ist der Duty-free Laden?

on board .... an Bord

Fasten your belts.. Schnallen Sie sich bitte an!

By bus/metro/tram

Where is the bus stop?...................................... Wo ist die Bushaltestelle?

A book of tickets, please................................... Eine Mehrfahrtenkarte, bitte

Don't forget to stamp your ticket...................... Vergessen Sie nicht, die Fahrkarte zu entwerten

The bus was half an hour late............................ Der Bus hatte wegen Nebels/Schnees eine halbe
because of the fog/snow Stunde Verspätung

How often do the buses run?............................. Wie oft fahren die Busse?

I've been waiting 20 minutes already................. Ich warte schon seit 20 Minuten

What time is the first/last bus?.......................... Um wie viel Uhr fährt der erste/letzte Bus?

Is this the right bus for the town centre? .... Fährt dieser Bus zur Stadtmitte?

You get off at the town hall .... Steigen Sie am Rathaus aus!

Have I missed the last bus?............................... Habe ich den letzten Bus verpasst?

The nearest tube station is by the theatre........... Die nächste U-Bahnstation ist am Theater

Which line must I take? .... Mit welcher Linie muss ich fahren?

You change here/at the next stop .... Steigen Sie hier/an der nächsten Haltestelle aus!

Are there any seats?... Sind diese Plätze alle besetzt?

This seat is taken/free .... Dieser Platz ist besetzt/frei

The underground is very convenient .... Die U-Bahn ist sehr praktisch

By taxi

Would you like to phone for a taxi? .... Möchtest du ein Taxi anrufen?

I haven't got enough money for a taxi .... Ich habe nicht genug Geld für ein Taxi

Where is the taxi rank, please .... Wo ist der Taxistand, bitte?

How much does it cost to go to the airport? .... Was kostet es zum Flughafen?

How long does the journey take? .... Wie lange dauert die Fahrt?

Come for me at 9.00 tomorrow morning .... Kommen Sie morgen früh um neun, um mich abzuholen!

On the boat

Do you want to go on deck? .... Wollen Sie an Deck gehen?

I've lost my landing card .... Ich habe meine Landungskarte verloren

I feel seasick .... Ich fühle mich unwohl

At the garage

Do you do repairs? .... Machen Sie Reparaturen?

My car has broken down .... Mein Wagen hat eine Panne

I've run out of petrol .... Ich habe kein Benzin mehr

I've got a puncture .... Ich habe eine Reifenpanne

The engine won't start .... Der Motor springt nicht an

The brakes/The lights are not working .... Die Bremsen/Lichter funktionieren nicht

The battery is flat .... Die Batterie ist leer

What make of car is it? .... Welche Marke fahren Sie?

What is your registration number? .... Wie ist Ihr Kennzeichen?

Where are you exactly? .... Wo sind Sie genau?

I'm on motorway A3, 5 kilometres from Bonn ... Ich bin auf der Autobahn A3, 5 Kilometer von Bonn

At the petrol station

30 litres of unleaded/super unleaded, please .... 30 Liter Bleifrei/Super Bleifrei, bitte

25 litres of diesel, please .... 25 Liter Diesel, bitte

Fill it up, please .... Volltanken, bitte

Please check the oil/water .... Könnten Sie das Öl/das Wasser überprüfen, bitte?

Please check the battery/the tyres .... Könnten Sie die Batterie/die Reifen überprüfen, bitte?

Will you reverse, please? .... Könnten Sie bitte rückwärts fahren?

Will you switch the engine off, please? .... Könnten Sie bitte den Motor abschalten?

Do you take credit cards? .... Nehmen Sie Kreditkarten?

Are there any toilets here? .... Gibt es hier Toiletten?

Do you sell maps/town plans/drinks? .... Verkaufen Sie Landkarten/Stadtpläne/Getränke?

Over there by the cash desk/toilets .... Da drüben an der Kasse/neben den Toiletten

Is it self-service? .... Ist es Selbstbedienung?

One of your tyres is soft .... Einer Ihrer Reifen ist weich

I would like to pump up the tyres .... Ich möchte die Reifen aufpumpen

Hiring a bicycle

I would like to hire a bike, please	Ich möchte ein Fahrrad leihen, bitte
A touring bike/a mountain bike	ein Touristenrad/ein Mountainbike
Is there a repair kit with the bike?	Gibt es Reifenflickzeug mit dem Rad?
You have to pay 100 DM deposit	Man muss eine Kaution von 100 Mark bezahlen
Will you fill in this form, please?	Könnten Sie bitte dieses Formular ausfüllen?
How long do you want the bikes?	Wie lange brauchen Sie die Fahrräder?
for three days	für drei Tage

Asking directions

How do I get to the cathedral, please?	Wie komme ich am besten zum Dom, bitte?
Where is the station, please?	Wo ist der Bahnhof, bitte?
Is there a hotel near here?	Gibt es hier in der Nähe ein Hotel?
Turn left at the traffic lights	Biegen Sie an der Ampel links ab!
It's on your right after the library	Es ist auf der rechten Seite hinter der Bibliothek
Go straight on as far as the lights	Gehen Sie geradeaus bis zur Ampel!
Cross the road	Gehen Sie über die Straße!
Go up/down the road	Gehen Sie die Straße hinauf/hinab!
Go along the road	Gehen Sie die Straße entlang!
Follow this road till you get to the town hall	Nehmen Sie diese Straße bis zum Rathaus!
Take the first/second/third on the right	Nehmen Sie die erste/zweite/dritte Straße rechts!
It is a large building near the lake	Es ist ein großes Gebäude neben dem See
You can get there by bus/tram/metro	Man kann mit dem Bus/dem Taxi/der U-Bahn dahin fahren
You'll have to take a taxi	Man muss mit dem Taxi fahren
It's thirty kilometres from here	Es ist 30 Kilometer von hier entfernt
opposite the bank	gegenüber der Bank
on the right of the cinema	rechts vom Kino
to the left of the park	links vom Park
beside the lake	neben dem See
between the chemist's and the supermarket	zwischen der Apotheke und dem Supermarkt
at the end of the corridor	am Ende des Ganges
on the first/second/top floor	im ersten/zweiten/obersten Stock
It's near to the old house with the red roof	Es ist in der Nähe von dem alten Haus mit dem roten Dach
How long will it take?	Wie lange braucht man?
Are you walking or in a car?	Sind Sie mit dem Auto oder zu Fuß hier?
It will take twenty minutes on foot	Es sind zwanzig Gehminuten

Invitations and outings

Making arrangements

What would you like to do this evening?	Was möchtest du heute Abend machen?
Shall we go out this evening?	Sollen wir heute Abend ausgehen?

Where would you like to go? ....Wohin möchtest du gehen?
Can we go to the cinema? ....Könnten wir ins Kino gehen?
What time shall we meet? ....Wann treffen wir uns?
I'll see you at 8.00 pm...................................Ich treffe dich um acht Uhr
Where shall we meet? ....Wo treffen wir uns?
I'll see you outside the restaurant ....Ich treffe dich vor dem Restaurant
Shall we stay in? ....Sollen wir zu Hause bleiben?
Can we hire a video?..Können wir ein Video ausleihen?
Have you seen "Romeo and Juliet"?...................Hast du „Romeo and Julia" gesehen?
Is it out on video? ....Gibt es das schon auf Video?
Shall we go for a drink? ....Sollen wir etwas trinken?
I'm paying! ....Ich lade dich ein

Accepting and refusing

Yes, I'd love to ....Ja, gerne
I'd love to ....Ich möchte gern
OK, agreed..OK
Of course ....Natürlich
Certainly ....Sicher
Thank you...Vielen Dank/Danke/Danke schön
It depends ....Es kommt darauf an
I'm not sure/I don't know ....Ich bin nicht sicher/Ich weiß nicht
I must ask my penfriend...................................Ich muss meinen Brieffreund/meine Brieffreundin
                                                                      fragen
I'm sorry, I can't make it ....Es tut mir Leid, das kann ich nicht schaffen
I've got too much homework ....Ich habe zu viele Hausaufgaben
I haven't got time...Ich habe keine Zeit
Perhaps we could go tomorrow ....Vielleicht könnten wir morgen hingehen
Unfortunately, I'm already doing something ......Leider habe ich schon etwas vor
Sorry, I'm not free ....Es tut mir Leid, ich bin schon verabredet
Sorry, but I have to babysit for some friends......Es tut mir Leid, aber ich muss für Freunde babysitten

At the cinema

How about going to the cinema? ....Wie wäre es mit dem Kino?
What's on?..Was läuft?
I've already seen it...Ich habe ihn schon gesehen
I'd like to see a comedy/horror film ....Ich möchte eine Komödie/einen Horrorfilm sehen
Is it in English?...Ist er auf Englisch?
Is it the original soundtrack? ....Ist er im Originalton?
No, it's dubbed ....Nein, er ist synchronisiert
Yes, but there are sub-titles ....Ja, aber er ist mit Untertiteln
What time does the last performance start? ....Wann fängt die letzte Vorstellung an?
How long does it last?.......................................Wie lange dauert sie?
What time does the film end?............................Um wie viel Uhr ist der Film zu Ende?

Booking a ticket

Can I book seats?	Kann ich Plätze reservieren?
Are there reductions for school students?	Gibt es eine Schülerermäßigung?
Can I buy a student ticket?	Kann ich eine Schülerkarte kaufen?
How much is it in the balcony/stalls?	Was kostet es im Rang/im Parkett?
Two tickets for the balcony, please	2 Plätze im Rang, bitte

Discussing the show

What did you think of the film/play?	Wie hast du den Film/das Stück gefunden?
The film was marvellous/interesting	Der Film war prima/interessant
The concert was boring/awful	Das Konzert war langweilig/furchtbar
In my opinion it was too long/serious	Meiner Meinung nach war es zu lang/zu ernst
Did you see ...'s latest film?	Hast du ...s neuesten Film gesehen?
the part played by Whoopie Goldberg	die Rolle, die Whoopie Goldberg gespielt hat
Who is your favourite singer/actor?	Wer ist dein Lieblingssänger/Schauspieler?
Who is your favourite singer/actress?	Wer ist deine Lieblingssängerin/Schauspielerin?
My favourite singer is ...	Mein(e) Lieblingssänger(in) ist ...
Which group do you like best?	Welche Gruppe hast du am liebsten?

Going to a party

Paul's having a party next week	Paul gibt nächste Woche eine Party
What time does it start?	Wann beginnt sie?
It starts at 9.00	Sie beginnt um neun Uhr
Will you come with me to the party on Friday evening?	Kommst du am Freitagabend mit mir zur Party?
Sorry, I'm going with Peter/Sarah	Es tut mir Leid, ich gehe mit Peter/Sarah dahin

Going to a disco

Are you going to the disco this evening?	Gehst du heute Abend zur Disco?
Yes, I'd love to	Ja, gern
I'll buy the tickets	Ich kaufe die Karten
Can I bring a friend?	Darf ich einen Freund/eine Freundin mitbringen?
Sorry, but Dad won't let me go out this week	Es tut mir Leid, aber Vater erlaubt es mir nicht, diese Woche auszugehen
Sorry, I'm grounded	Es tut mir Leid, aber ich habe Hausarrest

Going to a pop concert

The group is giving three concerts in Munich this autumn	Die Gruppe gibt diesen Herbst drei Konzerte in München
The first concert will take place in September	Das erste Konzert findet im September statt
Where can one buy tickets?	Wo kann man Karten kaufen?

Playing/Watching a game

Shall we play tennis?............................Sollen wir Tennis spielen?

I'll meet you at the Sports Centre tomorrow evening
............................Ich treffe dich morgen Abend am Sportzentrum

I'm not at all fit................................Ich bin gar nicht in Form

We would like to go to a football/rugby match...Wir möchten zum Fußballspiel/Rugbyspiel gehen

Which team do you support?...........................Für welche Mannschaft bist du?

I support Liverpool ....Ich bin für Liverpool

What time does the ice-rink open? ....Wann macht die Eisbahn auf?

Can one hire skates?............................Kann man Schlittschuhe leihen?

The swimming pool closes at 10.00 pm.............Das Schwimmbad macht um 10 Uhr abends zu

Would you like to go horse-riding tomorrow afternoon?.....Möchtest du morgen Nachmittag reiten?

I'd prefer to go for a walk ....Ich gehe lieber spazieren

Problems - Great and Small!

At the doctor's

What is the matter? ....Was ist los?

I don't feel well...............................Ich fühle mich nicht wohl

I feel ill...............................Mir ist schlecht

My head hurts/aches...........................Mein Kopf tut weh

I have hurt my back ....Ich habe Rückenschmerzen

He has trapped his fingers ....Er hat sich die Finger eingeklemmt

She has twisted her ankle ....Sie hat sich den Fuß verrenkt

She will have to walk on crutches ....Sie muss mit Krücken gehen

Can you give me something for the pain?...........Könnten Sie mir etwas gegen die Schmerzen geben?

I'm allergic to ... .Ich bin allergisch gegen ... (+ acc)

I've been stung by a bee/wasp..........................Mich hat eine Biene/Wespe gestochen

Here is a prescription for some tablets................Hier ist ein Rezept für einige Tabletten

Take one four times a day, after meals ....Nehmen Sie die Tabletten viermal am Tag nach dem Essen

My father has been taken ill ....Mein Vater ist krank geworden

Will you come and see him, please?...................Könnten Sie ihn besuchen, bitte?

Is this the first time that this has happened?........Ist es das erste Mal, das es Ihnen passiert ist?

No, it happens quite often ....Nein, es passiert ziemlich oft

I feel dizzy......................................Mir ist schwindlig

I've been sick................................Ich habe mich erbrochen/übergeben

Her ankle is swollen...........................Ihr Knöchel ist angeschwollen

The doctor cannot come ....Der Arzt kann nicht kommen

At the dentist's

May I have an appointment? ....Kann ich einen Termin haben?

I have toothache.................................Ich habe Zahnschmerzen

I've lost a filling ....Ich habe eine Plombe verloren

Are you going to give me an injection?............. Geben Sie mir eine Spritze?

Pay at reception .... Bezahlen Sie an der Rezeption!

At the chemist's

Have you something for a cold?........................ Haben Sie etwas gegen Schnupfen?

I need some tissues .... Ich brauche Papiertaschentücher

Can you recommend an insect repellent cream?. ..... Könnten Sie ein Insektenbekämpfungsmittel empfehlen?

I have a temperature .... Ich habe Fieber

I've got blisters on my right foot .... Ich habe Blasen am rechten Fuß

My brother is suffering from sunburn .... Mein Bruder hat einen Sonnenbrand

I would like some plasters/cotton wool .... Ich möchte Pflaster/Watte

I would like a bottle of cough mixture .... Ich möchte eine Flasche Hustensaft

A large one or a small one?................................. Eine große oder eine kleine?

My sister has stomach-ache .... Meine Schwester hat Magenschmerzen

She has eaten too many peaches........................ Sie hat zu viele Pfirsiche gegessen

I'm sorry, I don't sell films............................... Es tut mir Leid, ich verkaufe keine Filme

You'll have to go to the photographer's............. Man muss zum Fotografen gehen

The chemist opens at 9.00 am........................... Die Apotheke macht um neun Uhr auf

The chemist is open on Sunday morning............ Die Apotheke ist am Sonntagmorgen geöffnet

I advise you to go to the hospital .... Ich rate dir zum Krankenhaus zu gehen

No, it is (not) serious .... Nein, es ist (nicht) schlimm

Accidents

There has been an accident .... Es ist ein Unfall passiert

Where/When did it happen?............................... Wo/Wann ist er passiert?

What was the weather like? .... Wie war das Wetter?

The boy has been run over................................ Der Junge ist überfahren worden

He must be taken to hospital .... Man muss ihn ins Krankenhaus bringen

We must fetch the police/an ambulance .... Wir müssen die Polizei/einen Krankenwagen holen

My car/motorbike has broken down................... Mein Wagen/Motorrad hat eine Panne

What is your name and address? .... Wie ist Ihr Name und Ihre Adresse?

Will you write it down for me?........................... Könnten Sie es bitte aufschreiben?

He wasn't looking where he was going.............. Er hat nicht aufgepasst, wohin er fuhr/ging

Was he going (too) fast?................................... Fuhr er (zu) schnell?

How did the accident happen? .... Wie ist der Unfall passiert?

I/He collided with the car................................ Ich bin/Er ist mit dem Auto zusammengestoßen

Have you got your driving licence? .... Haben Sie Ihren Führerschein?

Do you want to see my passport?....................... Wollen Sie meinen Pass sehen?

Have you got your insurance certificate? .... Haben Sie Ihren Versicherungsschein?

He was badly hurt... Er war schwer verletzt

It wasn't his right of way .... Er hatte keine Vorfahrt

Where is the first aid kit?.................................. Wo ist der Verbandkasten?

Don't move her! .... Bewegen Sie sie nicht!

Were there any witnesses?.....................................Gab es Zeugen?

I saw what happened...Ich habe gesehen, was passiert ist

The accident happened at the crossroads............Der Unfall ist an der Kreuzung passiert

It was the lorry driver's fault.............................Der LKW-Fahrer war daran Schuld

Two people were injured in the accident............Zwei Personen wurden beim Unfall verletzt

It wasn't my fault...Ich war nicht daran Schuld

I fell when I was ski-ing.....................................Ich bin gefallen, als ich Ski gefahren bin

She's fallen in the water.....................................Sie ist ins Wasser gefallen

He had left the ball on the stairs........................Er hatte den Ball auf der Treppe liegen lassen

She fell over...Sie ist hingefallen

My brother has burned himself with some matches. Mein Bruder hat sich mit Streichhölzern verbrannt

She fell off the horse and broke her arm.............Sie ist vom Pferd gefallen und hat sich den Arm gebrochen

Minor disasters

I'm sorry, I'm late...Es tut mir Leid, dass ich mich verspätet habe

I got lost...Ich habe mich verlaufen

The traffic was heavy...Es gab viel Verkehr

I've lost a contact lens/my sunglasses................Ich habe eine Kontaktlinse/meine Sonnenbrille verloren

I've broken a plate/cup/glass..............................Ich habe einen Teller/eine Tasse/ein Glas gebrochen

I've ripped my pullover......................................Mein Pullover ist gerissen

He has lost his calculator....................................Er hat seinen Taschenrechner verloren

He dropped a cigarette and burned the carpet.....Er hat eine Zigarette fallen lassen und hat ein Loch in den Teppich gebrannt

He has broken the window..................................Er hat das Fenster gebrochen

I've got oil on my skirt.......................................Ich habe Öl auf dem Rock

Can you clean it for me, please?.........................Könnten Sie bitte ihn mir reinigen?

My watch is broken...Meine Uhr ist kaputt

The sink is blocked...Das Spülbecken ist verstopft

The washing machine is not working..................Die Waschmachine funktioniert nicht

Can you repair it for me?....................................Könnten Sie sie mir reparieren?

Can you come back for it on Saturday?..............Könnten Sie am Samstag nochmals vorbeikommen?

That's not possible, I go home tomorrow...........Das ist nicht möglich, ich fahre morgen nach Hause

At the lost property office

I've lost my passport/bag/camcorder.................Ich habe meinen Pass/meine Tasche/meine Camera verloren

Where have you looked for it?............................Wo haben Sie gesucht?

I've looked in my case/in my room/everywhere. ....Ich habe in meinem Koffer/in meinem Zimmer/ überall gesucht

Where did you lose your bag?.............................Wo haben Sie Ihre Tasche verloren?

I left it on the bus..Ich habe sie im Bus liegen lassen

When did you lose your umbrella? .... Wann haben Sie Ihren Regenschirm verloren?
yesterday/last week/this morning .... gestern/letzte Woche/heute Morgen
last Wednesday/last weekend .... letzten Mittwoch/letztes Wochenende
My wallet has been stolen .... Man hat mir die Brieftasche gestohlen
I put my wallet on the counter .... Ich habe meine Brieftasche auf den Ladentisch gelegt
You'll have to go to the police station .... Sie müssen zur Polizei gehen
What does your purse look like? .... Wie sieht Ihr Portemonnaie aus?
It is black and made of leather .... Es ist schwarz und aus Leder
It has got my name in it .... Mein Name ist darin
It contains 20 DM .... Es enthält 20 Mark

Major disasters
The car crashed into the wall/a tree .... Das Auto ist gegen die Mauer/einen Baum gefahren
There was flooding because of the storms .... Wegen des Gewitters gab es Überschwemmungen
There's a smell of burning .... Es gibt Brandgeruch
I can smell smoke .... Es riecht nach Rauch
There is a fire near the lift .... Es brennt neben dem Lift
Ring for the fire brigade .... Rufen Sie die Feuerwehr an!
There has been a bomb scare .... Es gibt Bombenalarm
Please leave the building .... Bitte das Gebäude verlassen!
Can you help me, please? .... Könnten Sie mir bitte helfen?
She has fainted .... Sie ist in Ohnmacht gefallen
He is unconscious .... Er ist bewusstlos

SECTION 2: GENERAL CONVERSATION

Yourself and your family - short answers

What is your name? .... Wie heißt du?

My name is Sue/David .... Ich heiße Sue/David

How old are you? .... Wie alt bist du?

I am 15/16 .... Ich bin fünfzehn/sechzehn

Have you any brothers and/or sisters? .... Hast du Geschwister?

I have a brother and a sister .... Ich habe einen Bruder und eine Schwester

No, I am an only child .... Nein, ich bin Einzelkind

Is he/she older/younger than you? .... Ist er/sie älter/jünger als du?

My brother is older. My sister is younger .... Mein Bruder ist älter. Meine Schwester ist jünger

What does your brother look like? .... Wie sieht dein Bruder aus?

My brother is tall .... Mein Bruder ist groß

He has blond hair and blue eyes .... Er hat blonde Haare und blaue Augen

What does your sister look like? .... Wie sieht deine Schwester aus?

My sister is small .... Meine Schwester ist klein

She has brown hair and brown eyes .... Sie hat braune Haare und braune Augen

What does your father do? .... Was ist dein Vater von Beruf?

He is a teacher. He works in a primary school .... Er ist Lehrer. Er arbeitet in einer Grundschule

What does your mother do? .... Was ist deine Mutter von Beruf?

She is a nurse .... Sie ist Krankenschwester

My parents are separated/divorced .... Meine Eltern sind getrennt/geschieden

My brother is out of work .... Mein Bruder ist arbeitslos

My sister is a student .... Meine Schwester ist Studentin

Do you like animals? .... Hast du Tiere gern?

Yes, I like animals .... Ja, ich mag Tiere

Have you any animals? .... Hast du Haustiere?

Yes, I have a dog/a cat/a rabbit .... Ich habe einen Hund/eine Katze/ein Kaninchen

Do you prefer dogs or cats? .... Hast du Hunde oder Katzen lieber?

I prefer cats/dogs .... Ich mag lieber Katzen/Hunde

When is your birthday? .... Wann hast du Geburtstag?

My birthday is July 26th .... Ich habe am 26. Juli Geburtstag

In which year were you born? .... In welchem Jahr bist du geboren?

I was born in 1982 .... Ich bin 1982 geboren

What does your little brother do to annoy you? .. Wie ärgert dich dein kleiner Bruder?

He hides my cassettes .... Er versteckt meine Kassetten

When is your father cross? .... Wann ist dein Vater sauer?

When I come home late at night .... Wenn ich spät abends nach Hause komme

When I don't do my homework .... Wenn ich meine Hausaufgaben nicht mache

Yourself and your family - longer answers

1.   **Erzähle etwas über dich!**

    Tell me about yourself

Ich heiße Chris. Ich bin fünfzehn Jahre alt. Ich habe am 19. Mai Geburtstag. Ich bin 1982 in Birmingham geboren und jetzt wohne ich in Sutton Coldfield. Ich bin ziemlich groß. Ich habe blonde Haare und blaue Augen. Ich mag Musik. Meine Lieblingsgruppe ist .... . Ich treibe gern Sport. Wenn ich Freizeit habe, gehe ich gern mit meinen Freunden aus oder ich spiele Federball. Am Wochenende arbeite ich in einem Supermarkt. Ich bin Verkäufer(in).

2.   **Beschreib deine Familie!**

    Tell me about your family

Ich habe einen Bruder, der Michael heißt. Er ist älter als ich. Er ist neunzehn. Er hat am 21. Oktober Geburtstag. Er arbeitet in einem Büro in Birmingham. Er ist so groß wie ich. Er ist 1,68 Meter groß. Er hat blaue Augen und braune Haare. Er interessiert sich für Rugby.

Ich verstehe mich nicht gut mit meinem Bruder. Er ist egoistisch. Er ist faul und er lässt seine Sachen überall liegen. Er hilft gar nicht zu Hause. Ich muss immer spülen und den Hund ausführen. Das geht mir auf die Nerven!

Meine Schwester heißt Claire. Sie ist achtzehn. Sie hat am 21. Juni Geburtstag. Sie hat kurze rotblonde Haare. Sie hat grüne Augen. Sie ist kleiner als ich. Sie ist 1,60 Meter groß. Sie ist Studentin. Sie möchte gern Lehrerin werden. Sie liest gern und geht gern ins Kino. Sie treibt nicht gern Sport. Ich komme gut mit meiner Schwester aus. Wir gehen zusammen aus. Sie hilft mir, wenn ich Probleme mit den Hausaufgaben habe.

Mein Vater ist Geschäftsmann. Er arbeitet in Lichfield. Er fährt morgens um sieben Uhr ab und er kommt gegen sieben Uhr abends wieder. Am Wochenende arbeitet er gern im Garten und er macht oft Wanderungen.

Meine Mutter ist Krankenschwester und sie arbeitet teilzeits im Krankenhaus hier in der Nähe. Meine Mutter ist klein. Sie hat rotblonde Haare und braune Augen. Sie sieht gern fern und sie schwimmt auch gern.

3.   **Beschreib einen Freund/eine Freundin!**

    Tell me about a friend of yours

Ich habe eine Freundin, die ganz in der Nähe von mir wohnt. Sie heißt Emma. Sie ist sehr nett. Sie ist fünfzehn wie ich. Sie hat am 17. Dezember Geburtstag. Sie hat braune lockige Haare und braune Augen. Sie ist 1,62 Meter groß. Sie ist kleiner als ich. Sie spielt gern Flöte, und wir spielen zusammen im Schulorchester. Sie hört gern Musik, und in den Ferien gehen wir zusammen in die Stadt, um Kassetten zu kaufen. Emma hat zwei Brüder. Sie sind Zwillinge. Sie heißen Andrew und Jonathan. Sie sind achtzehn und sie schwärmen für Fußball. Emmas Vater ist Lehrer, und ihre Mutter ist Sekretärin im Krankenhaus. Emma hat einen Hund, der Bruce heißt und zwei Kaninchen, die Peter und Benjamin heißen.

Ich habe einen Freund, der David heißt. Er wohnt ganz in der Nähe von mir. Er ist ein großer Junge mit schwarzen Haaren und braunen Augen. Er ist 1,80 Meter groß. Er ist sechzehn. Er hat am 26. Juli Geburtstag. Jeden Tag fahren wir mit dem Bus zur Schule und wir gehen am Wochenende mit Freunden aus. Wir gehen zu einem Fußballspiel oder wir gehen alle zusammen schwimmen.

David spielt gern Kricket und hört gern Musik. Er interessiert sich für Jazz. Er hat viele Kassetten. Er hat eine Schwester, die Lisa heißt. Lisa ist zwölf und liebt Tiere. Sie hat zwei Katzen und einen Hund. Davids Mutter ist Witwe und ist Apothekerin.

4.   Beschreib deine Haustiere!

Tell me about your pets

Ich habe Tiere sehr gern, besonders Hunde und Katzen. Ich habe einen Hund. Er ist klein und braun. Er ist ein Dackel. Er heißt Sandy. Er hat lange Haare, und ich muss ihn oft kämmen. Ich führe ihn jeden Tag aus, bevor ich in die Schule gehe. Er spielt gern mit Bällen. Ich habe zwei Katzen. Die eine heißt Tiger und sie ist schwarzweiß. Sie ist sechs. Sie fängt gern Vögel im Garten. Die andere ist älter. Sie heißt Smudge. Sie ist braun, schwarz und weiß. Sie ist Tigers Mutter. Ich möchte gern ein Kaninchen oder ein Meerschweinchen kaufen, aber meine Mutter meint, dass wir genug Tiere zu Hause haben.

Your home - short answers

Where do you live?	Wo wohnst du?
I live in Malvern	Ich wohne in Malvern
How long have you lived there?	Seit wann wohnst du da?
I have lived there for thirteen years	Ich wohne seit dreizehn Jahren da
Where did you live before coming to Malvern?	Wo hast du gewohnt, bevor du nach Malvern gezogen bist?
I lived in Reading before coming to Malvern	Ich habe in Reading gewohnt, bevor ich nach Malvern gezogen bin
Do you live near school?	Wohnst du in der Nähe von der Schule?
I live two kilometres from school	Ich wohne zwei Kilometer von der Schule entfernt
What sort of a house do you live in?	Was für ein Haus hast du?
I live in a semi-detached house in a suburb	Ich wohne in einem Doppelhaus in einem Vorort
I live in a detached house in a small village	Ich wohne in einem Einfamilienhaus in einem kleinen Dorf
I live in a flat in the centre of town	Ich wohne in einer Wohnung in der Stadtmitte
Is your house old or modern?	Ist dein Haus alt oder modern?
My house is (quite) old/modern	Mein Haus ist (ziemlich) alt/modern
How many bedrooms are there in your house?	Wie viele Schlafzimmer gibt es in deinem Haus?
There are four	Es gibt vier
And how many other rooms?	Und wie viele andere Zimmer gibt es?
There are four - the kitchen, the dining room, the living room and the bathroom	Es gibt vier - die Küche, das Esszimmer, das Wohnzimmer und das Badezimmer
Have you a garden?	Hast du einen Garten?
Yes, I have a big garden	Ja, ich habe einen großen Garten
Have you your own bedroom?	Hast du ein eigenes Schlafzimmer?
Yes, I have my own room.	Ja, ich habe ein eigenes Zimmer
No, I share with my sister/brother	Nein, ich teile es mit meiner Schwester/ meinem Bruder
What furniture do you have in your bedroom?	Was für Möbel hast du in deinem Schlafzimmer?

In my room there is .... In meinem Zimmer gibt es
   a wardrobe, a television,   einen Kleiderschrank, einen Fernseher,
   a table with a computer,   einen Tisch mit einem Computer,
   a bed/two beds and two chairs   ein Bett/zwei Betten und zwei Stühle

Your home - longer answers

1. Beschreib dein Haus und deinen Garten!
Describe your house and garden

Mein Haus ist ziemlich groß. Das Haus ist aus Backstein. Es liegt in einem Vorort vier Kilometer von der Stadtmitte entfernt. Gegenüber unserem Haus ist ein Park, wo wir jeden Tag den Hund ausführen. Als ich klein war, habe ich oft im Park mit meinen Freunden gespielt. Wir haben ein Wohnzimmer, ein Esszimmer und eine Küche im Erdgeschoss. Das Wohnzimmer ist ganz schön mit Blick auf den Garten hinter dem Haus. Im Wohnzimmer gibt es *(Insert some details about furniture - remember accusative case!)*. Im ersten Stock gibt es drei Schlafzimmer - eins für meine Eltern, eins für meinen Bruder und eins für mich. Es gibt auch das Badezimmer und eine Toilette. Die Garage ist neben dem Haus. Hinter dem Haus haben wir einen großen Garten. In unserem Garten gibt es Bäume, Blumen, einen Rasen und ein kleines Sommerhaus. Im Sommer verbringen wir viel Zeit im Garten, wenn das Wetter schön ist. Mein Vater arbeitet gern im Garten. Ich mähe den Rasen.

2. Beschreib dein Zimmer!
Describe your room

Mein Zimmer ist im ersten Stock mit Blick auf den Garten. Ich habe ein eigenes Zimmer. Mein Zimmer ist ziemlich groß. Die Wände meines Zimmers sind blau und die Vorhänge sind gelb. Der Teppichboden ist grau. In meinem Zimmer habe ich ein Bett, eine Lampe, eine Stereoanlage, einen Schrank, einen Tisch mit meinem Computer, einen Fernseher und einen Stuhl. Ich habe viele Bücher, viele CDs und Kassetten. Ich habe viele schöne Poster an den Wänden. Ich höre gern Musik in meinem Zimmer. Wenn meine Freunde mich besuchen, gehen wir immer in mein Zimmer, um uns zu unterhalten, um Musik zu hören oder um fernzusehen.

Geography - short answers

Where is Malvern?............................ Wo liegt Malvern?
Malvern is in Worcestershire, in central England.....Malvern liegt in Worcestershire in Mittelengland
How many inhabitants are there? .... Wie viele Einwohner gibt es?
There are about 36 000 inhabitants .... Es gibt ungefähr 36 000 Einwohner
What is there to see in Malvern?...................... Was gibt es in Malvern zu sehen?
There are the hills, the Priory and a park............ Es gibt die Berge, die Abteikirche und einen Park
Malvern is a Victorian spa-town .... Malvern ist ein viktorianischer Kurort
What is there to do in Malvern?...................... Was gibt es in Malvern zu tun?
You can go to the theatre/cinema/swimming pool....Man kann ins Theater/Kino/Schwimmbad gehen
You can walk on the hills .... Man kann auf den Bergen spazieren gehen
Is Malvern an industrial town?........................... Ist Malvern eine Industriestadt?
No, Malvern is more of a tourist town .... Nein, Malvern ist eher eine Touristenstadt
What industries are there in the town? .... Was für Industrie gibt es in der Stadt?

There are some factories in the town -...............Es gibt einige Fabriken in der Stadt - eine
    a sports car factory and some light industry   Sportwagenfabrik und etwas Leichtindustrie

What sports facilities are there?........................Was für Sportmöglichkeiten gibt es?

There is a swimming pool, a tennis club............Es gibt ein Schwimmbad, einen Tennisclub
    and a football club   und einen Fußballclub

Are there any interesting places to see around Malvern?
....Welche Sehenswürdigkeiten gibt es in der Umgebung von Malvern?

There are the hills and the city of Worcester ......Es gibt die Berge und die Stadt Worcester

Geography - longer answers

1.   Beschreib deine Heimatstadt und die Umgebung!

     Describe your home town and its surroundings

Malvern liegt in Worcestershire in Mittelengland. Es gibt ungefähr sechsunddreißigtausend Einwohner. Malvern ist ein viktorianischer Kurort. Es ist eine Touristenstadt. Im Sommer, wenn das Wetter schön ist, machen viele Touristen lange Wanderungen auf den Bergen. Es gibt viele Schulen und auch viele Kirchen in Malvern. Es gibt ein Schwimmbad, ein Kino, ein Theater und ein kleines Museum in der Stadtmitte. Es gibt auch einige Fabriken - zum Beispiel eine Fabrik, wo man Sportwagen herstellt. In der Stadtmitte gibt es fast keine großen Geschäfte. Wenn man in großen Geschäften einkaufen will, dann muss man nach Worcester fahren - es liegt etwa fünfzehn Kilometer von Malvern entfernt.

Birmingham ist die zweitgrößte Stadt Englands. Sie ist seit dem neunzehnten Jahrhundert eine sehr wichtige Industriestadt. Birmingham hat einen internationalen Flughafen, viele Theater, einige Kunstgalerien und einige Konzertsäle. Birmingham hat auch drei Universitäten und zwei berühmte Fußballmannschaften. Sie ist eine multikulturelle Stadt. Man kann Leute aus allen Ländern der Welt dort kennen lernen. In der Stadtmitte gibt es viele große Geschäfte, wo man Kleidung, Schuhe, Bücher oder elektronische Spiele kaufen kann. Am Samstag mache ich gern einen Einkaufsbummel in Birmingham mit meinen Freunden.

2.   Wie findest du die Gegend, wo du wohnst?

     What do you think of the area in which you live?

Ich mag meine Heimatstadt, weil es viel zu tun gibt: es gibt zwei Kinos und viele Geschäfte in der Stadtmitte. Man kann gute Filme sehen oder in die Discos tanzen gehen oder einen Einkaufsbummel mit Freunden machen. Die Busse fahren alle zehn Minuten zur Stadtmitte. Ich kann abends ausgehen, ohne dass ich meine Eltern bitten muss, mich irgendwohin zu fahren. Am Wochenende kann ich viel Sport treiben - es gibt ein Schwimmbad, eine Eisbahn und ein großes Sportzentrum.

Ich wohne nicht gern in meiner Heimatstadt, weil es nichts für die Jugendlichen zu tun gibt. Es gibt fast keine Geschäfte. Das Kino ist sehr klein und die Filme, die wir sehen wollen, laufen nicht. Es gibt kein Schwimmbad und kein Sportzentrum. Es gibt nur zwei Busse vormittags und zwei nachmittags. Wenn ich ausgehen will, muss ich zu Fuß gehen oder mit dem Rad fahren, oder ich muss meine Eltern bitten, mich irgendwohin zu fahren. Das ist nicht sehr praktisch. Ich möchte gern große Geschäfte, ein Sportzentrum und gute Cafés haben, wo man sich mit Freunden treffen könnte.

3.   **Stadt- oder Landleben - Welches hast du lieber, und warum?**
    Living in the town or the country - Which do you prefer, and why?

Ich wohne gern in der Stadt. Es gibt immer etwas zu tun. Man kann abends ohne Schwierigkeiten ausgehen. *(Insert name of your town)* ist eine Kulturstadt; es gibt auch Sportzentren für die, die gern Sport treiben. Es gibt ein großes Stadtzentrum mit vielen Geschäften und Restaurants. In den Fußgängerzonen gibt es keinen Verkehr - es ist sehr ruhig. Wenn man irgendwohin fahren will, gibt es immer einen Bus, einen Zug oder eine Straßenbahn. Ich finde es sehr angenehm in der Stadt.

Ich wohne gern auf dem Lande. Das Leben ist ruhiger, und es gibt keine Luftverschmutzung. Man kann lange Wanderungen den Fluss entlang machen. Man kann angeln. Im Dorf kennt man alle Einwohner, und ich finde die Atmosphäre sehr freundlich. Ich meine, dass man sich in der Stadt einsam fühlen kann. Der Verkehr ist kein Problem auf dem Lande. Natürlich gibt es Nachteile auf dem Lande. Es kann schwierig sein, in die Stadt zu fahren, wenn man kein Auto hat, und es gibt weder Kino noch Jugendklub hier in meinem Dorf.

Daily routine - short answers

What time do you get up? .... Wann stehst du auf?
I get up at 7.00 .... Ich stehe um sieben Uhr auf
What time do you have breakfast? .... Um wie viel Uhr isst du das Frühstück?
I have breakfast at 8.15 .... Ich frühstücke um Viertel nach acht
What do you usually have for breakfast? .... Was isst du normalerweise zum Frühstück?
I have toast and cereal for breakfast .... Ich esse Toast und Cornflakes zum Frühstück
I don't have breakfast .... Ich esse kein Frühstück

What time do you leave home in the morning? .. Um wie viel Uhr verlässt du morgens das Haus?
I leave home at 8.30 .... Ich verlasse das Haus um halb neun
What time do you arrive at school? .... Wann kommst du in der Schule an?
I arrive at school at 8.45 .... Ich komme um Viertel vor neun in der Schule an
How do you get to school? .... Wie kommst du zur Schule?
I go to school by bus/car/bike .... Ich komme mit dem Bus/Auto/Rad zur Schule
I walk to school .... Ich gehe zu Fuß zur Schule

When do lessons start? .... Wann beginnt der Unterricht?
Lessons start at 9.00 .... Der Unterricht beginnt um neun Uhr
How long are the lessons in your school? .... Wie lange dauern die Stunden in deiner Schule?
They last one hour five minutes .... Sie dauern fünfundsechzig Minuten
What do you do during break? .... Was machst du während der Pause?
I talk to my friends .... Ich unterhalte mich mit meinen Freunden
When is your lunch time? .... Wann ist die Mittagspause?
Lunch time begins at 12.30 .... Die Mittagspause beginnt um halb eins
Do you eat in the canteen at midday? .... Isst du mittags in der Kantine?
Yes, I eat in the canteen at midday .... Ja, ich esse zu Mittag in der Kantine
What do you eat at lunch time? .... Was isst du zu Mittag?

I have sandwiches at midday .... Zu Mittag esse ich Butterbrote
When does school end? .... Wann ist die Schule aus?
School ends at 3.40 .... Die Schule ist um zwanzig vor vier aus
What time do you get home? .... Um wie viel Uhr kommst du zu Hause an?
I get home at 4.10 .... Ich komme um zehn nach vier zu Hause an

What time do you have your evening meal? .... Wann isst du zu Abend?
I have my evening meal at six o' clock .... Ich esse das Abendessen um sechs Uhr
What do you eat in the evening? .... Was isst du abends?
In the evening I have soup, meat, vegetables and ice cream
.... Abends esse ich Suppe, Fleisch, Gemüse und Eis
What is your favourite food? .... Was ist dein Lieblingsessen?
My favourite food is ... . Mein Lieblingsessen ist ...
Is there anything you don't like? .... Gibt es etwas, was du nicht gern isst?
I don't like carrots .... Ich esse nicht gern Karotten

What do you do in the evening? .... Was machst du abends?
I do my homework and listen to music in the evening
.... Abends mache ich meine Hausaufgaben und ich höre Musik
Do you help your mother/father prepare the meal?
.... Hilfst du deiner Mutter/deinem Vater das Essen vorzubereiten?
No, but I have to do the washing up .... Nein, aber ich muss spülen
Do you watch TV in the evening? .... Siehst du abends fern?
Yes, sometimes .... Ja, manchmal
What time do you go to bed? .... Um wie viel Uhr gehst du ins Bett?
I go to bed at 10.30 .... Ich gehe um halb elf ins Bett
What do you do to help in the house? .... Wie hilfst du zu Hause?
I have to tidy my room .... Ich muss mein Zimmer aufräumen

Saturday jobs

Do you have a Saturday job? .... Arbeitest du samstags?
Yes, I work on Saturday morning .... Ja, ich arbeite am Samstagmorgen
Where do you work? .... Wo arbeitest du?
I work in a shop/at a petrol station .... Ich arbeite in einem Geschäft/an einer Tankstelle
What is your job? .... Was ist dein Job?
I am a sales assistant .... Ich bin Verkäufer(in)
I work in a restaurant .... Ich arbeite in einem Restaurant
I do babysitting .... Ich babysitte
I am saving up for ... . Ich spare für ... (+ acc)
I would like to buy a computer .... Ich möchte einen Computer kaufen
I prefer to earn money .... Ich verdiene lieber Geld
No, I can't work Saturdays, I am in school .... Nein, ich kann samstags nicht arbeiten, ich bin in
                                                                                     der Schule

Who does what?

I like walking the dog when it is fine .... Ich führe den Hund gern aus, wenn es schön ist

I hate washing up. It's boring .... Ich spüle nicht gern. Es ist langweilig

I prefer ironing. I listen to music while I work ... Ich bügle lieber. Ich höre Musik, während ich arbeite

My brother never washes up. It's not fair! .... Mein Bruder spült nie. Es ist unfair!

My sister never walks the dog when it's raining. Meine Schwester führt nie den Hund aus, wenn es regnet

I always have to wash the car and mow the lawn. .... Ich muss immer das Auto waschen und den Rasen mähen

Daily routine - past tense

What did you watch on TV last night? .... Was hast du gestern Abend im Fernsehen gesehen?

I watched some cartoons .... Ich habe einige Zeichentrickfilme gesehen

What did you do to help your mother? .... Wie hast du deiner Mutter geholfen?

I walked the dog and went shopping .... Ich habe den Hund ausgeführt und ich bin einkaufen gegangen

What did you have for breakfast this morning? .. Was hast du heute Morgen zum Frühstück gegessen?

I had toast and tea .... Ich habe Toast gegessen und Tee getrunken

How did you come to school this morning? .... Wie bist du heute Morgen in die Schule gekommen?

I walked .... Ich bin zu Fuß gekommen

Daily routine - future tense

What are you going to do this evening? .... Was wirst du heute Abend machen?

I'll do my home work and watch TV .... Ich werde meine Hausaufgaben machen und ich werde fernsehen

What are you going to watch on TV this evening? ... Was wirst du heute Abend im Fernsehen sehen?

I am going to watch *The Bill* .... Ich werde *The Bill* im Fernsehen sehen

What will you have for lunch? .... Was wirst du zu Mittag essen?

I will have sandwiches for lunch .... Ich werde Butterbrote zu Mittag essen

What will you have this evening? .... Was wirst du heute Abend essen?

We will have chicken, chips and peas .... Wir werden Hähnchen, Pommes Frites und Erbsen essen

What will you be doing at the weekend? .... Was wirst du am Wochenende machen?

I will go out with my friends .... Ich werde mit meinen Freunden ausgehen

Daily routine - longer answers

1. **Beschreib einen typischen Schultag!**
    Describe a typical school day

Ich stehe um halb acht auf, ich dusche mich, dann ziehe ich mich an. Ich putze mir die Zähne und ich bürste mir die Haare. Dann gehe ich nach unten, um zu frühstücken. Ich verlasse das Haus um Viertel nach acht und ich fahre mit dem Bus zur Schule. Ich komme um zehn vor neun in der Schule an. Der Unterricht fängt um neun Uhr an. Wir haben drei Stunden am Vormittag - zwei vor der Pause und eine nach der Pause. Zu Mittag esse ich Butterbrote. Nachmittags haben wir noch drei Stunden, und die Schule ist um zwanzig vor vier aus. Ich fahre nach Hause und ich sehe fern.

Dann mache ich meine Hausaufgaben. Wir essen abends um sechs Uhr. Manchmal gehe ich mit meinen Freunden aus. Ich gehe um elf Uhr ins Bett.

2.   Was hast du heute Morgen vor der Schule gemacht?

         What did you do before coming to school this morning?

Ich bin um Viertel nach sieben aufgewacht. Ich bin um halb acht aufgestanden und ich habe mich geduscht. Dann habe ich mir die Zähne geputzt, ich habe mich angezogen und ich habe mir die Haare gebürstet. Dann bin ich nach unten gegangen, um das Frühstück zu nehmen. Meine Eltern haben mit mir gefrühstückt. Ich habe Toast gegessen und Kaffee getrunken. Mein Vater hat das Haus um acht Uhr verlassen. Ich habe meine Bücher und meine Hefte in meine Tasche gesteckt, und ich habe das Haus um zehn nach acht verlassen. Ich bin zur Bushaltestelle gegangen. Der Bus ist um fünfundzwanzig vor neun angekommen. Ich bin um zehn vor neun in der Schule angekommen.

3.   Beschreib ein typisches Wochenende!

         Describe a typical weekend

Am Samstagmorgen stehe ich wie immer um halb acht auf, weil ich an der Kasse in einem Supermarkt arbeite, und ich muss um halb neun da sein. Ich arbeite den ganzen Vormittag, und ich bin um ein Uhr fertig. Ich gehe dann nach Hause und ich esse ein Butterbrot. Dann ziehe ich mich um und ich gehe mit meinen Freunden aus. Manchmal gehen wir zu einem Fußballspiel oder wir gehen in die Stadt, um einen Einkaufsbummel zu machen. Abends gehen wir ins Kino oder wir gehen auf eine Party. Wir kommen spät nach Hause. Am Sonntag schlafe ich mich aus! Ich stehe gegen Mittag auf. Nachmittags sehe ich fern oder ich sehe ein Video, und abends mache ich meine Hausaufgaben.

Ich bin Internatschüler(in), und deswegen bin ich am Wochenende normalerweise in der Schule. Am Samstagmorgen stehe ich wie immer um halb acht auf - ich wasche mich, bürste mir die Haare und ich ziehe mich an. Dann essen wir das Frühstück um acht Uhr. Morgens haben wir Unterricht, und nachmittags treiben wir Sport. Manchmal spielen wir gegen andere Schulen. Abends sehen wir fern oder wir hören Musik. Manchmal dürfen wir in die Stadt gehen oder wir dürfen das Wochenende zu Hause verbringen.

Am Sonntag stehen wir später auf. Vormittags gehen wir in die Kirche und dann essen wir zu Mittag. Nachmittags dürfen wir in die Stadt gehen. Manchmal treffe ich mich mit Freunden von einem anderen Internat. Abends treiben wir Sport oder wir lesen und spielen Karten. Das geht, aber es macht nicht immer Spaß.

School - short answers

How many pupils are there in your school/in your class?

           ....Wie viele Schüler gibt es in deiner Schule/in deiner Klasse?

There are 1400 pupils in the school/27 pupils in my class

           ....Es gibt 1400 Schüler in der Schule/27 Schüler in meiner Klasse

Do you wear school uniform? ....Trägst du Schuluniform?

Do you like your uniform?................................Magst du deine Schuluniform?

No, I do not like it...Nein, ich mag sie nicht

Yes, I do like my school uniform ....Ja, ich mag meine Schuluniform

Which subjects do you do?	Welche Fächer machst du?
I do English, Maths, French, German, Science, Art, IT, History, Geography and Technology	Ich mache Englisch, Mathe, Französisch, Deutsch, Naturwissenschaften, Kunst, Informatik, Geschichte, Erdkunde und Technologie
Which is your favourite subject?	Was ist dein Lieblingsfach?
My favourite subject is German	Mein Lieblingsfach ist Deutsch
Why?	Warum?
I get good marks	Ich bekomme gute Noten
because it's interesting	weil es interessant ist
because the teacher is nice	weil der Lehrer/die Lehrerin nett ist
Which subject don't you like?	Welches Fach magst du nicht?
I don't like Chemistry	Ich lerne nicht gern Chemie
Which subjects are you good at?	In welchen Fächern bist du gut?
I am good at English	Ich bin gut in Englisch
Which is your worst subject?	In welchem Fach bist du am schwächsten?
I'm very bad at Geography	Ich stehe sehr schlecht in Erdkunde
Are you in a school team?	Bist du in einer Schulmannschaft?
I play in the school hockey/rugby team	Ich spiele Hockey/Rugby in der Schulmannschaft
Which sport do you prefer?	Welche Sportart ziehst du vor?
I prefer tennis	Ich spiele lieber Tennis
Are you in the orchestra/choir/brass band?	Bist du im Orchester/im Chor/in der Blaskapelle?
I am in the choir	Ich bin im Chor
What do you like about school life?	Was gefällt dir am Schulleben?
I like being with my friends and I like sport	Ich bin gern mit meinen Freunden, und ich mag Sport
What do you dislike about school life?	Was gefällt dir nicht in der Schule?
I don't like some lessons	Ich mag einige Stunden nicht
I don't like the uniform	Ich mag die Uniform nicht
What irritates you in school?	Was nervt/ärgert dich in der Schule?
School uniform irritates me	Die Schuluniform nervt/ärgert mich
What bores you in school?	Was findest du langweilig in der Schule?
Some of the school rules annoy me	Ich finde einige Schulregeln lästig

School - past tense

Have you ever taken part in an exchange?	Hast du je an einem Austausch teilgenommen?
I went on an exchange to Germany last year	Ich habe letztes Jahr an einem Austausch mit Deutschland teilgenommen
I went to France two years ago	Ich bin vor zwei Jahren nach Frankreich gegangen
Where did you go?	Wohin bist du gefahren?
I went to Frankfurt/Nantes	Ich bin nach Frankfurt/Nantes gefahren
How long were you in Germany/France?	Wie lange warst du in Deutschland/Frankreich?
We spent ten days there	Wir haben zehn Tage dort verbracht
What did you do there?	Was hast du dort gemacht?
We visited the city	Wir haben die Stadt besichtigt

We went on some trips......................................Wir haben einige Ausflüge gemacht

We went to school with our penfriends ....Wir sind mit unseren Brieffreunden in die Schule
                   gegangen

What did you think of the exchange? ....Wie hast du den Austausch gefunden?

I had a good time ....Es hat viel Spaß gemacht

I would like to go back there.............................Ich möchte wieder dahin fahren

My German/French family were very nice ....Meine deutsche/französische Familie war sehr nett

I liked German food...Das deutsche Essen hat mir geschmeckt

I didn't like French food ....Mir hat das französische Essen nicht geschmeckt

The stay was too long..Der Aufenthalt war zu lang

I missed my family ....Ich habe meine Familie vermisst

What did you do at school yesterday? ....Was hast du gestern in der Schule gelernt?

I had history, geography and maths....................Ich habe Geschichte, Erdkunde und Mathe gelernt

What time did you get to school yesterday? ....Wann bist du gestern in der Schule angekommen?

I was late..Ich bin spät angekommen

School and future plans

What lessons have you got tomorrow? ....Was für Stunden hast du morgen?

I have French, English and biology ....Ich habe Französisch, Englisch und Biologie

What will you do tomorrow after school? ....Was machst du morgen nach der Schule?

I have a play rehearsal.......................................Ich habe eine Theaterprobe

What are you going to do after the exams?.........Was wirst du nach den Prüfungen machen?

I shall work for a few weeks, ...Ich werde ein paar Wochen arbeiten,
  then go on holiday   dann werde ich in Urlaub fahren

What will you be doing next year? ....Was wirst du nächstes Jahr machen?

Will you be coming back to school?....................Wirst du zur Schule zurückkommen?

I think I shall be coming back ....Ich denke, dass ich zurückkommen werde

That will depend on my exam results ....Es hängt von meinen Ergebnissen ab

No, I'm leaving school.......................................Nein, ich verlasse die Schule

If I pass my exams, I shall do A Levels..............Wenn ich meine Prüfungen bestehe, dann werde
                   ich Abitur machen

Where will you be studying?..............................Wo wirst du studieren?

I shall go to the 6th form college.......................Ich werde auf das Oberstufenkolleg gehen

Will you be taking A levels?..............................Wirst du Abitur machen?

Yes, I am going to do A levels ....Ja, ich werde Abitur machen

What subjects would you like to do? ....Welche Fächer möchtest du machen?

I would like to do German, Maths and Music.....Ich möchte Deutsch, Mathe und Musik machen

No, I prefer to do GNVQ ....Nein, ich mache lieber Fachhochschulreife

What will you do after school?...........................Was wirst nach der Schule machen?

Will you be going to university? ....Wirst du auf die Universität gehen?

I hope to go to university ....Ich hoffe, auf die Uni zu gehen

Will you do an apprenticeship? ....Wirst du eine Lehre machen?

Yes, I am going to do an apprenticeship .... Ja, ich werde eine Lehre machen

I shall be an apprentice in an engineering works ..... Ich mache eine Lehre in einem Ingenieurbetrieb

Will you start work/find a job? .... Wirst du arbeiten/eine Stelle finden?

Yes, I am going to work in my father's office .... Ja, ich werde im Büro von meinem Vater arbeiten

What sort of job would you like to have? .... Was für einen Job möchtest du haben?

I would like to be a primary school teacher .... Ich möchte Grundschullehrer(in) werden,

    because I'd like to work with children   weil ich mit Kindern arbeiten möchte

I'd like to be a pilot because I'd like to travel .... Ich möchte Pilot werden, weil ich reisen möchte

I'd like to be a hairdresser................................. Ich möchte Frisör/Friseuse werden

School - longer answers

1. Beschreib deine Schule und die Uniform!
Tell me about your school and the uniform

Meine Schule liegt drei Kilometer von der Stadtmitte entfernt. Sie ist ein großes Gebäude aus rotem Backstein aus den fünfziger Jahren. Es gibt viele Klassenzimmer und viele Labore. Es gibt auch Fußballplätze, Rugbyplätze, Hockeyplätze und eine große Turnhalle, aber leider gibt es kein Schwimmbad. Wir haben ungefähr 1500 Schüler und Schülerinnen und vierundachtzig Lehrer und Lehrerinnen in der Schule.

Wir müssen eine Schuluniform tragen. Die Mädchen tragen einen dunkelblauen Rock, eine weiße Bluse, einen dunkelblauen Pullover, einen blaugelben Schlips und schwarze Schuhe. Die Jungen tragen eine graue Hose, ein weißes Hemd und einen dunkelblauen Pullover mit einem blaugelben Schlips. Ich trage nicht gern die Uniform, weil die Farben sehr trüb sind, aber sie ist sehr praktisch.

2. Erzähl mir von deinem Stundenplan!
Tell me about your timetable

Jede Woche habe ich dreißig Stunden. Es gibt sechs Stunden pro Tag - zwei vor der Pause, eine nach der Pause, und drei Stunden nachmittags. Der Unterricht beginnt um neun Uhr, und die Schule ist um vier Uhr aus. Ich mache Englisch, Mathe, Französisch, Deutsch, Naturwissenschaften, Informatik, Erdkunde und Technologie.

Ich mag die Naturwissenschaften und Informatik, und ich bin gut in Englisch. Ich bin ziemlich gut in Mathe und Deutsch, aber ich finde Französisch ganz schwer. Technologie interessiert mich, aber ich bin nicht stark in Geschichte.

Ich mache gern Turnen, und ich spiele gern Tennis, aber im Winter spiele ich nicht gern Hockey, wenn es regnet und wenn es kalt ist.

3. Tell me what you plan to do in the future
Erzähl mir von deinen Zukunftsplänen!

Nächstes Jahr möchte ich Abitur beginnen. Ich möchte die Naturwissenschaften studieren, weil ich Biologie sehr interessant finde. Ich glaube, dass ich auf die Uni gehen möchte, und nach dem Studium möchte ich forschen. Es ist heute wichtig, gut qualifiziert zu sein, und die Forschung ist sehr bedeutend für die Medizin und für die Zukunft im Allgemeinen.

Free time and hobbies - short answers

What do you do when you have some free time? .... Was machst du, wenn du Freizeit hast?

I go out with my friends....................................Ich gehe mit meinen Freunden aus

What do you do at weekends?............................Was machst du am Wochenende?

I play football/I watch TV.................................Ich spiele Fußball/Ich sehe fern

Where do you go with your friends at weekends?.... Wohin gehst du am Wochenende mit deinen Freunden?

I go to the cinema/a disco/the youth club ....Ich gehe ins Kino/in eine Disco/in den Jugendclub

Do you like sport?...Magst du Sport?

Yes, I like sport very much ....Ja, ich mag Sport gern

Which is your favourite sport? ....Was ist dein Lieblingssport?

I like tennis/rugby ....Ich mag Tennis/Rugby

Where/When do you play?.................................Wann/Wo spielst du?

I play in school on Saturday afternoon ....Ich spiele am Samstagnachmittag in der Schule

Are you a member of a club? ....Bist du Mitglied eines Vereins?

Yes, I belong to a tennis club ....Ich bin Mitglied eines Tennisvereins

Are you interested in music?...............................Interessierst du dich für Musik?

Yes, music is very important to me ....Ja, Musik ist mir sehr wichtig

What type of music do you like? ....Was für Musik hörst du gern?

I prefer classical music......................................Ich höre lieber klassische Musik

Have you a favourite group? ....Hast du eine Lieblingsgruppe?

No, I haven't a favourite group ....Nein, ich habe keine Lieblingsgruppe

Have you a favourite singer?..............................Hast du einen Lieblingssänger/eine Lieblingssängerin?

No, I haven't a favourite singer.........................Nein, ich habe keinen Lieblingssänger/keine Lieblingssängerin

Do you play an instrument?................................Spielst du ein Instrument?

Yes, I play the violin/the clarinet.......................Ja, ich spiele Geige/Klarinette

How long have you been playing the clarinet? ...Seit wann spielst du Klarinette?

I have been playing the clarinet for four years....Ich spiele seit vier Jahren Klarinette

Do you watch much TV at weekends?................Siehst du am Wochenende viel fern?

It depends ....Es kommt darauf an

No, I don't watch TV very often ....Nein, ich sehe nicht oft fern

Which type of programme do you like? ....Welche Sendungen magst du?

Which type of programme do you not like?........Welche Sendungen magst du nicht?

I like documentaries/cartoons............................Ich mag Dokumentarfilme/Zeichentrickfilme

I hate horror films ....Ich hasse Horrorfilme

I don't like the news..Ich sehe nicht gern Nachrichten

Do you like going to the cinema?......................Gehst du gern ins Kino?

Yes, I like going to the cinema sometimes ....Ja, manchmal gehe ich gern ins Kino

How often do you go to the cinema?..................Wie oft gehst du ins Kino?

Two or three times a year..................................Zwei- oder dreimal im Jahr

Which type of film do you like best?..................Welche Art Filme magst du am liebsten?

I like science fiction films ....Ich mag Science-Fiction-Filme

Do you like reading?...Liest du gern?

Yes, I like reading ....Ja, ich lese gern

What type of books do you like?........................ Was für Bücher magst du?

I like detective stories ....Ich mag Kriminalromane

Do you collect tapes/CDs/stamps? ....Sammelst du Kassetten/CDs/Briefmarken?

Yes, I collect CDs..Ja, ich sammele CDs

Have you a computer? ....Hast du einen Computer?

Yes, I have a computer at home ....Ja, ich habe einen Computer zu Hause

Do you play computer games?............................Spielst du mit dem Computer?

Yes, I have a lot of computer games ....Ja, ich habe viele Computerspiele

Are you interested in fashion?............................Interessierst du dich für Mode?

Yes, I am very interested in fashion...................Ja, ich interessiere mich sehr für Mode

Do you like window shopping?...........................Machst du gern einen Schaufensterbummel?

Yes, I like window shopping with my friends ....Ja, ich mache gern einen Schaufensterbummel mit meinen Freunden/mit meinen Freundinnen

Which shops do you like looking round? ....In welchen Geschäften siehst du dich gern um?

I like looking around clothes/book shops ....Ich sehe mich gern in Kleidergeschäften/ Buchhandlungen um

Are you going out this evening? ....Gehst du heute Abend aus?

No, my mother won't let me go out in the week .....Nein, meine Mutter erlaubt es mir nicht, in der Woche auszugehen

Free time and hobbies - past tense

What did you do last Saturday? ....Was hast du letzten Samstag gemacht?

I went to the cinema ....Ich bin ins Kino gegangen

What did you think of the film?.........................Wie hast du den Film gefunden?

I thought it was good ....Ich habe ihn gut gefunden

The film was too long..Der Film war zu lang

The actors were superb/poor ....Die Schauspieler waren hervorragend/schwach

Where did you see it? ....Wo hast du ihn gesehen?

I went to a cinema in Birmingham ....Ich bin ins Kino in Birmingham gegangen

When did you see it? ....Wann hast du ihn gesehen?

I saw it a month ago..Ich habe ihn vor einem Monat gesehen

Is it out on video?...Gibt es ihn auf Video?

What did you do last night? ....Was hast du gestern Abend gemacht?

I stayed at home..Ich bin zu Hause geblieben

What did you see on TV last night? ....Was hast du gestern Abend im Fernsehen gesehen?

I did not watch TV..Ich habe nicht ferngesehen

What did you buy last Saturday?........................Was hast du letzten Samstag gekauft?

I bought a birthday present for my father ....Ich habe ein Geschenk für meinen Vater gekauft

Free time and hobbies - future tense

What are you going to do at the weekend?.........Was wirst du am Wochenende machen?

I am going to see my cousins in London............Ich werde meine Kusinen in London besuchen

I am going to play rugby/hockey ....Ich werde Rugby/Hockey spielen
I shall be working at the filling station ....Ich werde an der Tankstelle arbeiten

Free time and hobbies - longer answers

1.   Erzähl mir, was du nach der Schule machst!
       Tell me what you do after school

Ich bin sportlich und am Samstagnachmittag spiele ich in einer Fußball-/Hockeymannschaft. Am Dienstag singe ich im Chor und am Donnerstag gehe ich mit meinen Freunden ins Schwimmbad. Am Samstag arbeite ich. Ich bin Verkäufer(in) in einem großen Geschäft in der Stadtmitte. Ich verbringe Samstagabend mit meinen Freunden. Wir gehen ins Kino oder in eine Disco. Wenn wir nicht genug Geld zum Ausgehen haben, dann hören wir zusammen Musik oder wir sehen fern.

2.   Tell me which sport you prefer and give your reasons
       Welche Sportart treibst du am liebsten, und warum?

Ich spiele gern Tennis. Es ist sehr wichtig für die Gesundheit, in Form zu sein. Ich bin Mitglied in einem Verein, und ich treffe mich mit Freunden, wenn ich dahin gehe. Am Wochenende fahre ich zu anderen Vereinen, um da zu spielen. Ich lerne viele Leute kennen. Ich sehe Tennis gern im Fernsehen, weil ich vieles lerne, wenn ich die Profis beobachte.

3.   Welche Filmarten hast du am liebsten?
       Tell me what sort of film you like

Ich mag Abenteuerfilme, weil ich die Spezielleffekte und die Ungeheuer gern sehe. Wenn ich mit meinen Freunden bin, finde ich es lustig, diese Filme zu sehen und zu merken, wie viel Angst meine Freunde haben.
Ich sehe auch gern Sciencefiction Filme, weil ich Raketen und Fahrten in den Weltraum liebe, und alles, was mit dem Weltall zu tun hat.

4.   Sag was für Fernsehsendungen du gern siehst, und warum!
       Tell me what type of programme you like watching on television and say why you like it

Ich sehe gern Natursendungen, weil ich wilde Tiere und Vögel, besonders die bedrohten Tierarten, liebe. Ich sehe sie sehr gern in ihrer Heimat, oft in einem Naturschutzgebiet, aber ich sehe sie nicht gern in Zoos - das finde ich schrecklich! Ich interessiere mich auch für Blumen und Bäume, besonders die exotischen Pflanzen - die Farben sind oft so schön. Das Fernsehen gibt uns die Möglichkeiten, alle diese Dinge zu sehen.

5.   Wie findest du die Werbung im Fernsehen?
       What do you think of television adverts?

Die Werbung im Fernsehen reizt mich auf. Manchmal finde ich sie lustig, aber meistens finde ich sie total dumm. Es ist Zeitverschwendung! Es gibt zu viele Sendungen, die von der Werbung unterbrochen werden. Man kann nie einen Film ohne Pausen sehen. Ich hasse die Werbung für Autos. Oft koche ich Kaffee in den Pausen.

6.　Was machst du, um fit zu bleiben?
　　What do you do to get fit?

Ich bin der Meinung, dass der Sport sehr wichtig für die Gesundheit ist. Wenn man in Form sein will, dann muss man Sport treiben. Man kann sich allein trimmen - zum Beispiel, man kann joggen oder schwimmen gehen. Sonst kann man Mitglied eines Vereins werden, wenn man Leute kennen lernen will. Die Mannschaftsspiele sind gut für die Gesundheit, und es macht mir Spaß, mit meinen Freunden zu spielen.

Ich rauche nicht und ich esse gesund. Ich esse viel Gemüse, Nudeln, Reis und viel Obst. Ich trinke Mineralwasser und Fruchtsaft. Ich esse gern Hähnchen, aber ich esse weder Würstchen noch Hamburger noch Pommes Frites. Ich esse auch keine Chips und nicht viel Käse. Es ist nicht immer angenehm, weil ich eigentlich Schokolade, Kuchen und Käse besonders gern esse.

Shopping - short answers

Do you like going shopping? .... Gehst du gern einkaufen?

Yes, I like/No, I don't like shopping .... Ja, ich gehe gern/Nein, ich gehe nicht gern einkaufen

I don't like going to the supermarket .... Ich gehe nicht gern in den Supermarkt

I prefer buying clothes .... Ich kaufe lieber Kleidung

When do you go shopping? .... Wann gehst du einkaufen?

I go shopping on Saturday afternoon .... Am Samstagnachmittag gehe ich einkaufen

Who do you go shopping with? .... Mit wem gehst du einkaufen?

I like going with my friends .... Ich gehe gern mit meinen Freunden/Freundinnen

They tell me what they think .... Sie sagen mir ihre Meinung

I don't like going with my mother .... Ich gehe nicht gern mit meiner Mutter

I don't like the clothes she likes .... Ich mag nicht dieselbe Kleidung wie sie

I like buying clothes on my own .... Kleidung kaufe ich gern allein

Do you like buying presents? .... Kaufst du gern Geschenke?

I like buying presents for people my own age .... Ich kaufe gern Geschenke für Leute in meinem Alter

I never know what to give my grandparents .... Ich weiß nie, was ich meinen Großeltern schenken
　　　　　　　　　　　　　　　　　　　　　　　　　sollte

Shopping - longer answers

1.　Was hast du letzten Samstag gemacht?
　　What did you do last Saturday?

Letzten Samstag bin ich in die Stadtmitte gegangen. Ich bin mit meinen Freunden dorthin gegangen. Wir haben beschlossen, Kleidung zu kaufen. Ich wollte einen Badeanzug und Sandalen kaufen. Mein Freund/Meine Freundin Chris wollte eine Jeans kaufen. Wir hatten viele Probleme! Die Farbe hat ihm/ihr nicht gefallen. Er/Sie wollte eine bestimmte Marke kaufen. Endlich hat er/sie das gefunden, was er/sie wollte. Dann haben wir etwas gegessen. *(Insert what you ate and drank and where you went for the meal)* Wir sind um halb vier nach Hause gegangen.

2.　What clothes would you buy if you had the choice?
　　Was für Kleidung würdest du kaufen, wenn du wählen könntest?

Ich würde viel Kleidung kaufen - Kleider, Röcke, Blusen, Pullover und viele Schuhe. Ich trage gern Jeans und Pullover, wenn ich zu Hause bin. Abends, wenn ich mit meinen Freunden ausgehe oder bei Festen, trage ich gern einen schicken Rock oder ein schönes Kleid. Ich trage aber nur selten einen Rock oder ein Kleid. Meine Lieblingsfarbe ist blau.

Holidays - short answers

Where do you go on holiday?...........................Wohin fährst du in Urlaub?

I usually go to the seaside ....Normalerweise fahre ich zur Küste

I visit my grandparents.......................................Ich besuche meine Großeltern

Do you spend your holidays in England? ....Verbringst du deine Ferien in England?

Yes, I spend a fortnight in Devon.......................Ja, ich verbringe vierzehn Tage in Devon

No, I go to France/Greece ....Nein, ich fahre nach Frankreich/Griechenland

Do you go with your family or with friends?......Fährst du mit deiner Familie oder mit Freunden?

I usually go with my family ....Normalerweise fahre ich mit meiner Familie

This year I am going with my friends.................Dieses Jahr fahre ich mit meinen Freunden

Do you go camping? ....Machst du Camping?

Sometimes we go camping in France ....Manchmal machen wir Camping in Frankreich

What do you like doing on holiday?...................Was machst du gern in Urlaub?

I like walking and swimming ....Ich wandere und schwimme gern

What sort of souvenirs do you buy? ....Was für Andenken kaufst du?

I buy postcards, pottery, a T-shirt......................Ich kaufe Postkarten, Töpfersachen, ein T-Shirt

Holidays - past tense:

Where did you go on holiday last summer?........Wohin bist du letztes Jahr in Urlaub gefahren?

Last year we went to Greece ....Letztes Jahr sind wir nach Griechenland gefahren

How did you get there? ....Wie bist du dahin gekommen?

We flew ....Wir sind geflogen

How long did you stay?.......................................Wie lange bist du da geblieben?

We stayed a fortnight/three weeks......................Wir sind vierzehn Tage/drei Wochen geblieben

What was the weather like?...............................Wie war das Wetter?

It was hot and sunny ....Es war heiß und sonnig

Did you go swimming? ....Bist du schwimmen gegangen?

Did you spend time on the beach?......................Warst du oft am Strand?

Yes, we went to the beach every day..................Ja, wir sind jeden Tag zum Strand gegangen

Did you visit any interesting places? ....Hast du interessante Städte besucht?

Yes, we went to Athens.......................................Ja, wir sind nach Athen gefahren

It was very interesting ....Es war sehr interessant

What did you do in the evening? ....Was hast du abends gemacht?

In the evening we went to a restaurant...............Abends sind wir ins Restaurant gegangen

We walked around the town...............................Wir haben einen Stadtbummel gemacht

We went to a café/night club.............................Wir sind zu einem Café/einem Nachtclub gegangen

Would you like to go there again?......................Möchtest du wieder dahin fahren?

Yes, I would very much like to go there again....Ich möchte sehr gern wieder dahin fahren

Holidays - future tense:

Are you going away at Easter?	Wirst du zu Ostern wegfahren?
No, I shall spend the Easter holidays at home	Nein, ich werde die Osterferien zu Hause verbringen
Where would you like to go this summer?	Wohin möchtest du diesen Sommer fahren?
I don't know	Ich weiß nicht
We have not yet decided	Wir haben uns noch nicht entschieden
We are going to the USA	Wir werden nach den USA fahren
Will you be going with your family/friends?	Wirst du mit deiner Familie/deinen Freunden fahren?
I shall go there with my parents	Ich werde mit meinen Eltern dahin fahren
Will you go camping?	Wirst du Camping machen?
Will you be staying in a hotel?	Wirst du in einem Hotel wohnen?
Will you rent a flat?	Wirst du eine Wohnung mieten?
We shall stay with my uncle and aunt	Wir werden bei meinem Onkel und meiner Tante wohnen
How will you get there?	Wie wirst du dahinkommen?
We shall fly to New York	Wir werden nach New York fliegen
How long will you be staying?	Wie lange wirst du da bleiben?
We are planning to stay a month	Wir haben vor, einen Monat da zu verbringen
What are you going to do there?	Was wirst du dort machen?
We hope to go to Washington	Wir hoffen, nach Washington zu fahren

Holidays - longer answers

1   Erzähl, was du während der letzten Sommerferien gemacht hast!

Tell me what you did during last summer holidays

Letztes Jahr habe ich einen Monat lang im Büro meines Vaters gearbeitet. Ich wollte etwas Geld für meine Ferien in Schottland verdienen. Ich habe vom 18. Juli bis zum 16. August gearbeitet. Ich habe um neun Uhr angefangen, und wir hatten um halb sechs Feierabend. Ich musste die Post öffnen, telefonieren, Briefe schreiben und im Büro helfen.

Am 17. August bin ich mit meinen Freunden nach Schottland gefahren. Wir haben Camping gemacht. Wir haben vierzehn Tage in der Nähe von Callender verbracht. Das Wetter war schön. Wir haben die Stadt besichtigt, und wir haben Wanderungen in den Bergen gemacht. Ich wandere gern in den Bergen, wenn das Wetter schön ist. Wir waren sechs Personen, drei Jungen und drei Mädchen. Wir haben viel Spaß gehabt. Ich möchte noch einmal dahin fahren.

Letztes Jahr bin ich mit meinen Eltern nach Italien gefahren. Wir haben drei Wochen da verbracht. Wir sind nach Rom geflogen, und wir haben ein Auto gemietet, um Ausflüge machen zu können. Wir haben einige Tage in Rom verbracht, und dann haben wir Venedig und Florenz besucht. Wir haben viele Museen, viele Kirchen und viele schöne Geschäfte besucht. Dann haben wir zehn Tage an der Küste verbracht. Das Wetter war herrlich. Ich mag das italienische Essen, und ich habe ein paar Wörter Italienisch gelernt. Die Italiener sind sehr freundlich.

2 How will you be spending the Easter holidays?
Wie wirst du die Osterferien verbringen?

Zu Ostern haben wir zwei Wochen Urlaub. Ich werde zu Hause bleiben. Mein(e) Brieffreund(in) wird eine Woche bei uns verbringen. Wenn das Wetter schön ist, werden wir Ausflüge mit dem Auto machen oder wir werden Radtouren machen. Er/Sie ist sehr sportlich. Wir werden zum Schwimmbad und zur Eisbahn gehen. Während der zweiten Woche werden wir meine Kusine besuchen, die in Wales wohnt. Sie wohnt in Cardiff, und ich fahre gern dahin. Es ist eine große lebhafte Stadt, wo es viel zu tun gibt.

Special occasions - short answers

When is your birthday? ...... Wann hast du Geburtstag?
My birthday is on 4th December ...... Ich habe am 4. Dezember Geburtstag
How do you celebrate your birthday? ...... Wie feierst du deinen Geburtstag?
My family give me presents and cards ...... Meine Familie gibt mir Geschenke und Karten
What do you do at Christmas? ...... Was machst du zu Weihnachten?
We give each other presents, we go to church .... Wir geben einander Geschenke, wir gehen in die Kirche
What other festivals do you celebrate? ...... Welche andere Feste feierst du?
We celebrate Passover/Eid/Divali ...... Wir feiern Passa/Id/Diwali
When is Passover/Eid/Divali? ...... Wann ist Passa/Id/Diwali?
Do you give presents? ...... Gibt man Geschenke?
Do you spend the day with your family? ...... Verbringst du den Tag mit deiner Familie?
Yes, family life is very important ...... Ja, das Familienleben ist sehr wichtig

Special occasions - past tense

What did you have for Christmas? ...... Was hast du zu Weihnachten geschenkt bekommen?
My grandparents gave me some clothes ...... Meine Großeltern haben mir Kleidung geschenkt
My parents gave me a mountain bike/a computer .... Meine Eltern haben mir ein Mountainbike/einen Computer geschenkt
What did you give your parents for Christmas? .. Was hast du deinen Eltern zu Weihnachten geschenkt?
I gave my father a bottle of wine ...... Ich habe meinem Vater eine Flasche Wein geschenkt
I gave my mother a book ...... Ich habe meiner Mutter ein Buch geschenkt
What did you give your brother/sister? ...... Was hast du deinem Bruder/deiner Schwester geschenkt?
I gave my brother a tape ...... Ich habe meinem Bruder eine Kassette geschenkt
I gave my sister a scarf ...... Ich habe meiner Schwester einen Schal geschenkt
How did you celebrate your birthday? ...... Wie hast du deinen Geburtstag gefeiert?
I went out for a meal with my family ...... Ich bin mit meiner Familie ins Restaurant gegangen
What presents did you get? ...... Was für Geschenke hast du bekommen?
My parents gave me ... . Meine Eltern haben mir ... geschenkt

Weather - short answers

What is/will be the weather like?   **Wie ist/wird das Wetter?**

It is/will be fine .... Es ist/wird schön
It is/will be hot .... Es ist/ wird heiß
It is/will be cold................................... Es ist/ wird kalt
The weather is/will be bad .... Das Wetter ist/ wird schlecht
It is/will be 30 degrees.................................... Es ist/ wird dreißig Grad
It is/will be foggy .... Es ist/ wird neblig
It is/will be sunny .... Es ist/ wird sonnig
It is/will be windy............................... Es ist/ wird windig
It is/will be cloudy............................... Es ist/ wird wolkig
It is/will be stormy............................... Es ist/ wird stürmisch
It is/will be freezing............................ Es friert/ wird frieren
It is/will be snowing .... Es schneit/ wird schneien
It is/will be raining .... Es regnet/ wird regnen

What was the weather like?   **Wie war das Wetter?**

It was fine.. Es war schön
It was hot.. Es war heiß
It was cold .... Es war kalt ˙
The weather was bad .... Das Wetter war schlecht
It was 30 degrees............................. Es war dreißig Grad
It was foggy...................................... Es war neblig
It was sunny...................................... Es war sonnig
It was windy .... Es war windig
It was cloudy .... Es war wolkig
It was stormy .... Es war stürmisch
It was freezing.................................. Es hat gefroren
It was snowing................................... Es hat geschneit
It was raining.................................... Es hat geregnet

Weather - longer answers

Welche Jahreszeit hast du am liebsten, und warum?
What season do you like best?

Ich mag den Sommer am liebsten, weil ich gern in der Sonne bin. Wenn es sonnig ist, gehe ich gern spazieren. Im Sommer fahre ich gern in Urlaub zur Küste. Ich liebe den Strand, wo man spielen oder in der Sonne liegen kann.

Ich hasse die Kälte und deshalb kann ich den Winter nicht ertragen. Ich hasse den Nebel und den Regen!

Ich mag den Winter, weil mein Lieblingssport Skifahren ist. Ich mag den Schnee und die Berge. Ich kann die Hitze im Sommer nicht ertragen.

Making comparisons between Germany and England

You may be asked to compare and contrast aspects of life in Germany and England. Here are some points you may find useful.

School life

German children begin school aged six ....Deutsche Kinder beginnen die Schule mit sechs
Jahren

School begins earlier in Germany......................In Deutschland fängt die Schule früher an

The school day is very short in Germany ....In Deutschland ist der Schultag sehr kurz

School is finished by half past one ....Die Schule ist schon um halb zwei aus

So German pupils have free time in the afternoon... Also haben deutsche Schüler nachmittags frei

We have to wear school uniform.......................Wir müssen Schuluniform tragen

German pupils sometimes have to repeat a year ...Deutsche Schüler müssen manchmal sitzen bleiben

Discipline in German schools is different..........Die Disziplin in deutschen Schulen ist anders als
from in England. It is often less strict   in England. Es ist oft weniger streng

Daily life

In Germany the post boxes are yellow...............In Deutschland sind die Briefkästen gelb

In Germany most shops are closed on Sunday....In Deutschland haben die meisten Geschäfte am
Sonntag zu

Germans often take flowers as a present.............Die Deutschen schenken oft Blumen,
when they are invited out   wenn sie eingeladen sind

There are many families in Germany, ...In Deutschland gibt es noch viele Großfamilien,
where three generations still live together   wo drei Generationen in
in one house   einem Haus leben

Many children in Germany do gymnastics ....Manche Kinder in Deutschland voltigieren,
on horseback, because they like horses   weil sie Pferde gern haben

Many sports clubs organise youth training ....Viele Sportvereine organisieren Jugendtraining
in the afternoon   am Nachmittag

German families often eat a hot meal at lunch time. Deutsche Familien essen oft mittags warm

In Germany they often go to bed earlier................In Deutschland geht man oft etwas früher ins Bett

Travel

There are trams in many German cities.................Es gibt Straßenbahnen in vielen deutschen Städten

Public transport is better in...............................Die öffentlichen Verkehrsmittel sind besser in
Germany, but it is often very expensive   Deutschland, aber oft sehr teuer

There is often no speed limit on motorways ....Es gibt oft keine Geschwindigkeitsbegrenzung auf
der Autobahn

In German cities there are many cycle paths.......In deutschen Städten gibt es viele Radwege

SECTION 3: PRESENTATIONS

If you have to do a presentation for your GCSE board's examination, you could use some of the themes in the conversation section. However you may wish to choose something different. Here are a few possibilities:

Fußball

Ich bin begeisterter Fußballspieler.

Ich spiele jetzt seit vier Jahren in der Schulfußballmannschaft. Ich trainiere auch am Samstagmorgen in einem Jugendfußballverein. Der Trainer ist ex-Profispieler und er hat mir vieles beigebracht. Ich spiele auf dem linken Flügel und schieße viele Tore. Unsere Schulmannschaft hat im Jugendpokal das Endspiel erreicht, aber leider haben wir zwei zu eins verloren.

Ich verfolge die deutsche Bundesliga im Fernsehen. Das ist nicht schwer, denn wir haben eine Satellitenschüssel. Meine Lieblingsfußballmannschaft ist Borussia Dortmund. Sie tragen gelb und schwarz und sind gute Spieler. Mein Traum wäre, sie würden die Bundesliga und den Europapokal im selben Jahr gewinnen.

Ich möchte eines Tages Profi-Fußballspieler werden, weil man sehr gut bezahlt wird. Man wird auch zum Vorbild für viele junge Leute und später kann man Karriere in der Sportindustrie oder in der Werbung machen.

Reiten

Mein Hobby ist Reiten. Ich habe eine Freundin, die auf einem Bauernhof wohnt und die zwei Ponys hat. Im Sommer gehen wir jeden Tag nach der Schule reiten.

Die Ponys heißen Benji und Fleur. Benji ist zehn Jahre alt, er springt sehr gut und hat viele Preise gewonnen. Fleur ist schon zwanzig Jahre alt und ist ziemlich dick, weil sie so viel Gras frisst. Sie ist aber sehr lieb.

Das Pflegen von Ponys und Pferden ist schwere Arbeit. Wir müssen sie striegeln, füttern und wir müssen im Stall sauber machen. Das Stroh, das Futter und der Sattel wiegen sehr viel, und deswegen muss man ziemlich stark sein, um alles zu schaffen.

Im Frühling ist Fleur krank gewesen. Sie hatte Husten, und ich musste ihr Hustensaft geben. Sie wollte es nicht schlucken, und es tat mir Leid für sie.

Nächstes Jahr möchte ich mir selber ein Pferd kaufen. Kein rassiges Pferd, sondern ein altes zuverlässiges Pferd mit, vor allem, guter Gesundheit und guten Hufen. Das ist wichtig, weil Tierärzte und Schmiede bezahlt werden müssen.

Mein Austausch

Ich möchte gern über meinen Austausch sprechen, weil er mir so viel Spaß gemacht hat.

Wir sind 10 Tage in Bad Iburg, einer kleinen Stadt in der Nähe von Osnabrück geblieben. Ungefähr 45 Schüler haben teilgenommen - einige zum zweiten Mal.

Mein Partner/Meine Partnerin heißt (*Insert details of your penfriend and his/her family*)

Während unseres Aufenthaltes haben wir viel gemacht. Wir haben ein Gymnasium besucht - unsere Partnerschule, und auch eine Grundschule und eine Berufsschule für Schüler, die 16 bis 18 Jahre alt sind.

Wir haben einige Ausflüge gemacht - wir sind nach Hameln, der Rattenfängerstadt, gefahren. Dort hatten wir eine Stadtführung und dann haben wir einen Einkaufsbummel gemacht. Wir sind auch nach Münster und Osnabrück gefahren. Einige von uns haben auch ein kurzes Betriebspraktikum gemacht. Wir haben verschiedene Betriebe besucht - zum Beispiel eine Zahnarztpraxis, eine Polsterei, eine Bank und eine Grundschule. Ich habe eine Schokoladenfabrik besucht. Das war prima - ich habe viel Schokolade gegessen! Für alle war das eine tolle Erfahrung.

Der Austausch war sehr erfolgreich - er hat uns Spaß gemacht. Wir haben viele Freunde kennen gelernt und wir haben unser Deutsch verbessert.

Das deutsche Schulsystem

Mein Thema ist das deutsche Schulsystem. Letztes Jahr bin ich mit der Schule nach Deutschland gefahren, und ich bin zur Schule gegangen. Ich fand die Schule viel besser als in England.

Die Schule fängt um acht Uhr an - das kann ein Nachteil sein, weil man müde ist, aber man gewöhnt sich daran. Sie haben sechs Stunden am Tag - jede Stunde dauert 45 Minuten. Das ist viel besser als in meiner Schule, wo die Stunden 65 Minuten dauern - das ist viel zu lang! Es gibt zwei kleine Pausen, und dann ist die Schule schon um halb zwei zu Ende. Das bedeutet, dass man in Deutschland viel Freizeit hat. Man kann nachmittags in die Stadt gehen und einen Einkaufsbummel machen, oder man kann ins Kino gehen oder schwimmen gehen. Man hat abends noch Zeit, die Hausaufgaben zu machen.

Als ein Lehrer einmal krank war, dann hatten wir eine Freistunde - das war prima! Wir sind zu einer Eisdiele gegangen und haben Eis gegessen. Mein(e) Freund(in) sagt, dass das ziemlich oft passiert. Hier in England kommt immer ein Ersatzlehrer zu uns.

Es gab keine Versammlung und morgens keine Anmeldung wie in England. Hier scheint es mir, Zeitverschwendung zu sein. Ich hätte gern das deutsche System in England!

Haustiere

Ich liebe alle Arten von Tieren. Ich habe zu Hause zwei niedliche Meerschweinchen, die Pudding und Littleone heißen. Sie haben braune Augen und schwarze Haare. Sie bekommen jeden Tag frisches Futter und einige Kräuter aus dem Garten. Am liebsten fressen sie Äpfel und Löwenzahnblätter. Wenn ich aus der Schule nach Hause komme, freuen sie sich sehr und sie quiecksen, um meine Aufmerksamkeit zu erregen.

Ich muss zweimal in der Woche den Käfig sauber machen und ihnen frisches Heu und frisches Wasser geben. Zweimal im Jahr müssen sie zum Tierarzt, um die Krallen schneiden zu lassen. Die sind beide männlich, und ich hätte gern ein Weibchen. Meine Eltern erlauben das aber nicht, weil sie meinen, wir würden die Babys nie los.

Letzten Monat habe ich ein Berufspraktikum bei einem Tierarzt gemacht. Es hat sehr viel Spaß gemacht, und ich habe vieles über Hunde, Katzen und Pferde gelernt. Ich würde gern später Tierärztin/Tierarzt werden, aber dazu braucht man gute Noten in der Schule und man muss auch ein langes und teueres Studium unternehmen. Es bleibt jedoch immer eine Möglichkeit.

Basteln

Ich bastle gern in meiner Freizeit. Diese Leidenschaft hat für mich angefangen, als ich zum ersten Mal in der achten Klasse Werken lernte. Der Lehrer war sehr nett und hat mir vieles beigebracht, zum Beispiel, wie man mit einer Schere oder Säge arbeitet, und welche Klebstoffe für verschiedene Materialien gut sind.

Letztes Jahr habe ich meinem kleinen Bruder ein Schloss aus Holz geschenkt. Ich habe sechs Wochen daran gearbeitet, und er hat sich sehr darüber gefreut.

Zurzeit bin ich dran, Metallfiguren zu sammeln. Ich kaufe die Figuren und dann klebe ich sie zusammen und bemale sie. Ich brauche dazu gutes Licht, einen feinen Pinsel und viel Geduld. Ich sammle phantastische Krieger, und mein bester Freund sammelt europäische Soldaten aus dem neunzehnten Jahrhundert.

Meine Schwester ist auch begabte Hobbybastlerin. Sie besucht einen Abendkurs für Töpfern, der im Jugendzentrum stattfindet.

Später möchte ich eine Stelle finden, bei der ich mit den Händen arbeiten kann, vielleicht als Elektriker oder Mechaniker.

Die Hochzeit von meiner Schwester

Der Monat August war sehr interessant für meine Familie. Meine Schwester hat am 12. August geheiratet. Sie hat sich entschlossen, im August zu heiraten, weil sie Lehrerin ist. Der Bräutigam ist Polizist. Meine Schwester sprach seit Monaten mit meiner Mutter über das Kleid, die Hochzeitsblumen, die Geschenke und die Fotos.

Am Hochzeitstag war das Wetter sehr schön. Die Sonne hat geschienen, und es war sehr warm.

Es gab um halb eins die Hochzeit im Standesamt, und dann gab es einen kurzen Gottesdienst in der Kirche. Vor der Kirche hat man Fotos gemacht. Das hat so lange gedauert!

Das Hochzeitskleid von meiner Schwester war sehr schick, und sie hat einen Strauß von kleinen blauen Blumen getragen. Ich war mit zwei Freundinnen Brautjungfer von meiner Schwester. Ich habe ein blaues Kleid getragen. Das hat mir gut gefallen, weil Blau meine Lieblingsfarbe ist.

Nach den Fotos sind wir zu einem Hotel gegangen, wo wir gegessen haben. Das Essen war ganz lecker. Ich habe viel gegessen - Lachs, Truthahn und Salat. Dann haben wir bis Mitternacht getanzt.

Was meine deutsche Familie für die Umwelt macht

Letztes Jahr bin ich nach Deutschland gefahren. Ich habe an einem Schulaustausch teilgenommen. Ich hatte einen sehr netten Partner/eine sehr nette Partnerin. Ich war sehr beeindruckt davon, wie umweltbewusst die Familie war.

Erstens hatte die Familie kein Auto. Die Eltern und mein(e) Partner (in) und die Geschwister sind entweder mit dem Rad gefahren oder sie sind mit dem Bus in die Stadt gefahren. Es gab alle dreißig Minuten einen Bus. Als sie Verwandte in Hamburg besuchen wollten, dann sind sie mit der Bahn gefahren.

Zweitens haben sie den Müll sorgfältig gesammelt. Alle Gemüsereste und Eierschalen kamen auf den Komposthaufen im Garten. Alles, was einen grünen Punkt hatte, wurde gewaschen und kam in den gelben Sack, um recycelt zu werden. Wenn möglich hat die Familie Getränke in Pfandflaschen gekauft. Sie haben die Flaschen wieder zum Geschäft gebracht. Sie haben Geld dafür bekommen, und die Flaschen wurden nochmals benutzt.

Die Familie ist Mitglied einer, grünen Organisation. Sie sind gegen Atomkraft, weil einige Atomkraftwerke gefährlich sind, und weil es radioaktive Abfälle gibt.

SECTION 4: IMPROVING YOUR LANGUAGE

When?

then	dann
all day long/all morning	den ganzen Tag/den ganzen Vormittag
always	immer
at the weekend	am Wochenende
during the weekend	während des Wochenendes
during the morning	während des Vormittags
afterwards	nachher
after (+ noun)	nach (+ dat)
after (+ clause)	nachdem
at last	endlich
previously, before	vorher
early	früh
late	spät
every day	jeden Tag
every Monday morning	jeden Montagvormittag
every week	jede Woche
every two days	alle zwei Tage
every three weeks	alle drei Wochen
from time to time, occasionally	ab und zu/dann und wann
in the morning/afternoon/evening	am Morgen/am Nachmittag/am Abend
on Saturday morning	am Samstagvormittag
never	nie
now	jetzt
often	oft
rarely, seldom	selten
sometimes	manchmal
soon	bald
this morning	heute Morgen
this summer/winter	diesen Sommer/Winter
today	heute
usually	gewöhnlich

Phrases for telling stories in the past

A few weeks ago	vor ein paar Wochen
After finishing his/her homework	Nachdem er/sie die Hausaufgaben gemacht hatte, ...
an hour ago	vor einer Stunde
a quarter of an hour ago	vor einer Viertelstunde
a short time later	etwas später
As he/she was leaving the house,	Indem er/sie das Haus verließ, ...

as soon as possible	sobald wie möglich
at five o'clock	um fünf Uhr
at that moment	in diesem Moment
at the beginning of the holidays	am Anfang der Ferien
at the end of the day	am Ende des Tages
a week/month/two years ago	vor einer Woche/einem Monat/zwei Jahren
during his stay in hospital	während seines Aufenthaltes im Krankenhaus
during the summer holidays	während der Sommerferien
for a long time	eine lange Zeit
for three hours	drei Stunden lang
from time to time	von Zeit zu Zeit
half an hour later	eine halbe Stunde später
He had got up early because ...	Er war früh aufgestanden, weil ...
He appeared suddenly	Er ist plötzlich erschienen
I saw him just now	Ich habe ihn gerade gesehen
immediately after the picnic	gleich nach dem Picknick
in spring/in summer/in autumn/in winter	im Frühling/im Sommer/im Herbst/im Winter
in 1998	1998
It was December 1st	Es war der 1. Dezember
It was Christmas Eve....	Es war Heiliger Abend
It was during the Easter holidays	Es war während der Osterferien
last night	gestern Abend
last Saturday	letzten Samstag
last week/year	letzte Woche/letztes Jahr
last winter	letzten Winter
later then usual	später als gewöhnlich
On leaving the shop ...	Als er/sie das Geschäft verließ, ...
She left at once	Sie ist sofort weggegangen/weggefahren
that morning/that afternoon/that evening	an dem Morgen/an dem Nachmittag/an dem Abend
the next day	am nächsten Tag
towards the end of the week	gegen Ende der Woche
two days later	zwei Tage später
towards the end of August	gegen Ende August
yesterday/the day before yesterday	gestern/vorgestern
yesterday morning/afternoon/evening	gestern früh/Nachmittag/Abend
immediately/at once	sofort
earlier/later than usual	früher/später als gewöhnlich
from time to time	von Zeit zu Zeit

Phrases for telling stories in the future

from now on	ab sofort
in half an hour's time	in einer halben Stunde
in an hour and a half	in anderthalb/eineinhalb Stunden

in three days' time	in drei Tagen
in a week's time	in einer Woche
in two weeks' time	in vierzehn Tagen
later on today	später heute
next Sunday	nächsten Sonntag
next week/next year	nächste Woche/nächstes Jahr
next winter/next summer	nächsten Winter/nächsten Sommer
She will be arriving about midday	Sie kommt gegen Mittag an
The train will be arriving on time	Der Zug kommt pünktlich an
this time next week	heute in einer Woche
tomorrow/the day after tomorrow	morgen/übermorgen
tomorrow morning/afternoon/evening	morgen früh/morgen Nachmittag/morgen Aber
two hours from now	jetzt in zwei Stunden
towards seven o'clock this evening	gegen sieben Uhr heute Abend

How did you do that?

quickly	schnell
as quickly as possible	so schnell wie möglich
at top speed	mit Vollgas
slowly	langsam
gradually	allmählich
suddenly	plötzlich
carefully	vorsichtig
politely	höflich
also	auch
by chance	zufällig
unfortunately	leider
for the first/second/last time	zum ersten/zweiten/letzten Mal
thus	also
gladly	mit Vergnügen
happily, fortunately	glücklicherweise
in a good/bad temper	gut/schlecht gelaunt
in vain	vergebens
Instead of going to school ...	Anstatt in die Schule zu gehen, ...
I pretended to read my book	Ich tat, als ob ich mein Buch las
I went in on tip-toe	Ich bin auf Zehenspitzen ins Zimmer gegangen
to my great surprise	zu meinem großen Erstaunen
When everything was ready ...	Als alles fertig war, ...
without hesitation	ohne zu zögern
without speaking	ohne etwas zu sagen
without saying a word	ohne ein Wort zu sagen
with astonishment	mit Erstaunen
without wasting any time	ohne einen Augenblick zu verlieren

e?

.... hier	
.... dort/da	
ere .... da drüben	
radio/the Internet .... im Fernsehen/Radio/Internet	
. ... in der Nähe	
the wall.. gegen die Mauer/Wand	
seaside.. am Strand	
the house .... über dem Haus	
the bridge.. unter der Brücke	
en the trees .... zwischen den Bäumen	
the house... hinter dem Haus	
t of the cinema .... vor dem Kino	
te the station.. gegenüber dem Bahnhof	
left hand side...................................... auf der linken Seite	
crossroads .... an der Kreuzung	
traffic lights... an der Ampel	
country.. auf dem Lande	
distance... in der Ferne	
field .... auf der Wiese	
middle of the town............................... in der Stadtmitte	
mountains .... in den Bergen	
woods .... im Wald	
ny home... in der Nähe von meinem Haus	
he lift... neben dem Fahrstuhl	
o the bank .... neben der Bank	
e balcony .... auf dem Balkon	
e ground floor...................................... im Erdgeschoss	
e first floor... im ersten Stock	
e top floor... im obersten Stock	
e horizon.. am Horizont	
e river bank.. am Flussufer	
netres away... 100 Meter entfernt	
inutes away .... zehn Minuten entfernt	
vay .... hier entlang	
e left of the house.. .... links von dem Haus	
e right of the window............................ rechts von dem Fenster	
e east .... im Osten	
e north .... im Norden	
e south .... im Süden	
e west .... im Westen	

lid you see?

nan ....einen alten Mann

; woman..eine junge Frau

)oy who was about seven ....einen kleinen Jungen von etwa sieben Jahren

·ly woman with grey hair ....eine ältliche Frau mit grauen Haaren

·rl in a red coat ....ein großes Mädchen in einem roten Mantel

fat man with a black beard.....................einen untersetzten Mann mit einem schwarzen Bart

f about sixteen who................................ein Mädchen um sechzehn,
  carrying a big bag   das eine große Tasche trug

·n aged about fifty who ....eine fünfzigjährige Frau,
  walking her dog   die ihren Hund ausführte

vearing sunglasses driving ....einen Mann mit Sonnenbrille, der
ue Mercedes   einen blauen Mercedes fuhr

nagers talking to someone......................zwei Jugendliche, die mit jemandem sprachen,
» seemed worried   der ängstlich aussah

did he/she look like?

a moustache ....Er hatte einen Oberlippenbart

a long black beard..................................Er hatte einen langen schwarzen Bart

black/fair/brown/grey/ginger hair...........Er hatte schwarze/blonde/braune/graue/rotblonde
                               Haare

big/small/thin/fat ....Er war groß/klein/dünn/dick

wearing a blue suit................................Er trug einen blauen Anzug

carrying a black umbrella ....Er trug einen schwarzen Regenschirm

frowning...Er runzelte die Stirn

s big/small/thin/fat/slim ....Sie war groß/klein/dünn/dick/schlank

ked happy/uptight/frightened.................Sie sah glücklich/nervös/ängstlich aus

l blue/green/grey/brown eyes ....Sie hatte blaue/grüne/graue/braune Augen

s wearing glasses/sunglasses ....Sie trug eine Brille/eine Sonnenbrille

s wearing jeans and a red T-shirt.............Sie trug Jeans und ein rotes T-Shirt

s smiling/She was crying........................Sie lächelte/Sie weinte

did we have to eat and drink?

a cup of coffee ....Ich habe eine Tasse Kaffee getrunken

glass of lemonade..................................Ich habe ein Glas Limonade getrunken

chocolate ice cream ....Ich habe ein Schokoladeneis gegessen

·t a ham sandwich..................................Ich habe ein Schinkenbrot gekauft

·t some cheese, tomatoes, apples.............Ich habe Käse, Tomaten, Äpfel
  a packet of crisps   und eine Packung Chips gekauft

·d roast chicken.....................................Ich habe Brathähnchen bestellt

se a sausage with curry sauce ....Er hat Currywurst ausgewählt

chicken and chips..................................Sie aß Hähnchen mit Pommes Frites

We went to a restaurant because it was .... my birthday	Wir sind ins Restaurant gegangen, weil ich Geburtstag hatte
We decided to have a picnic	Wir haben beschlossen ein Picknick zu machen
We ordered two glasses of apple juice	Wir haben zwei Glas Apfelsaft bestellt

Sequences

at first...	zuerst
secondly	zweitens
thirdly..	drittens
then	dann
after that	danach
after doing that	nachdem ich/er/sie das gemacht hatte, ...
He had just done that when	Er hatte das gerade gemacht, als ...
a little later	etwas später
after a while..	nach einer Weile
a few minutes later...	ein paar Minuten später
later that day/evening...	später am Tag/Abend
two hours later...	zwei Stunden später
After arriving in Dover	Nachdem ich/er/sie in Dover angekommen w
on the first/last part of the journey	am ersten/letzten Teil der Reise
on the first/last day of the holiday.....................	am ersten/letzten Tag des Urlaubs
at half past one..	um halb zwei
as arranged	wie vorgesehen
during the morning/afternoon/evening	während des Vormittags/Nachmittags/Abends
during the night	in der Nacht
the next day	am nächsten Tag
the next morning..	am nächsten Morgen
tomorrow/the day after tomorrow	morgen/übermorgen

Conclusions

at the end of the day/outing/show	am Ende des Tages/des Ausflugs/der Vorstell
at last, finally..	endlich
in spite of everything	trotz allem
We arrived home tired but happy.....................	Wir sind müde aber glücklich zu Hause ange
We had had a good time	Wir hatten uns gut amüsiert
All's well that ends well	Ende gut, alles gut

1st December → 2 periods of German (Test; paration on for listening)

n; Tue; Wed (6,7,8) ⇒ December → orals.

Notes

Notes

MALVERN LANGUAGE GUIDES

PO Box 76   Malvern   WR14 2YP   UK

Priceline/Fax: 01684 893756   Enquiries: 01684 577433

	French	German	Spanish	Italian	Total ordered	Price each	subtotal £
Vocabulary Guide						£2.50	
Speaking Test Guide						£2.50	
mar Guide						£3.50	
nary						£3.50	
Stage 3 Guide						£3.00	
lard Grade Vocabulary †						£2.50	
n. Entrance 13+ Guide						£3.50	
échange scolaire						£2.00	
Austausch						£2.00	
tercambio escolar						£2.00	
site en France						£2.00	
er Pack A (192 stickers)						*£5.00	
ed Sticker Pack A (192 stickers in four languages – 48 per language)						*£5.00	
tic library-style book cover (A5 format fits all our books)						*£0.50	
of 100 plastic library-style book covers						*£35.00	
dling charge for orders totalling £3.99 or less						*£1.50	
						UK/EU Total	

livery charge for customers outside the European Union (EU) – add 30% of UK/EU total

ce includes VAT   † for Scotland   **TOTAL PAYABLE: £** _____

Name	
Address	
Postcode	**Telephone**

s: Strictly cheque payable to **Malvern Language Guides** with order. No coins please.
We aim to despatch goods within 7 days of receipt of your order.
We regret we are unable to accept orders over the phone or payment by credit card.
For orders of £4 and over we make no charge for delivery to UK or EU addresses. **Prices valid to 31.7.99.**
Outside of the EU add 30% to the total cost of the order.
We can accept cheques in any EU currency, Swiss francs, US $, Australian $, NZ $,
Canadian $, Hong Kong $, SA Rand. Republic of Ireland IR£1 = stg£1.
Simply convert the total using rates in the press. For other currencies, please 'phone us.

ed ....   **Date** ....